Aprendizados

1ª EDIÇÃO

BestSeller

RIO DE JANEIRO | 2018

Aprendizados

MINHA CAMINHADA PARA UMA VIDA
COM MAIS SIGNIFICADO

GISELE BÜNDCHEN

TRADUÇÃO:
CANDICE SOLDATELLI

CIP-BRASIL. CATALOGAÇÃO NA PUBLICAÇÃO
SINDICATO NACIONAL DOS EDITORES DE LIVROS, RJ

Bündchen, Gisele, 1980-
B957a Aprendizados: Minha caminhada para uma vida com mais significado / Gisele Bündchen; tradução Candice Soldatelli. – 1ª ed. – Rio de Janeiro: Best Seller, 2018.
il.

Tradução de: Lessons
ISBN 978-85-465-0127-4

1. Bündchen, Gisele, 1980-. 2. Modelos (Pessoas) – Brasil – Biografia. 3. Sucesso.
4. Motivação (Psicologia). I. Soldatelli, Candice. II. Título.

18-52226 CDD: 927.4692
CDU: 929:77-052

Leandra Felix da Cruz – Bibliotecária – CRB-7/6135

Texto revisado segundo o novo Acordo Ortográfico da Língua Portuguesa.

Título original
LESSONS: MY PATH TO A MEANINGUL LIFE

EDITORA BEST SELLER LTDA.
Rua Argentina, 171, parte, São Cristóvão – Rio de Janeiro, RJ – 20921-380
que se reserva a propriedade literária desta tradução

Impresso no Brasil

ISBN 978-85-465-0127-4

Todos os lucros de Gisele Bündchen obtidos com a venda deste livro serão doados para a Luz Foundation, criada por ela em 2007 com o objetivo de apoiar causas sociais e ambientais.

Para Vivi, Benny e Jack

Obrigada pelo seu amor, por serem a luz da minha vida, por serem os melhores professores e por me permitirem viajar por novos caminhos, descobrindo novos significados e um propósito. Vocês são a minha inspiração diária para fazer deste mundo um lugar melhor. Amo vocês.

SUMÁRIO

INTRODUÇÃO

Esta foto foi tirada para o meu primeiro *book* quando eu tinha 14 anos.

Se minha intenção fosse escrever um relato simples e direto da minha vida até agora, a versão editada em cortes rápidos poderia ser esta:

Meu nome é Gisele Caroline Bündchen. Trabalho há 23 anos como modelo. Nasci em 1980 e fui criada em Horizontina, uma cidadezinha no sul do Brasil, a uma hora do rio que faz a divisa do país com a Argentina. Sou da quinta geração de brasileiros descendentes de alemães, tanto por parte de mãe quanto por parte de pai. Meus pais falavam alemão um com o outro e português comigo e com as minhas cinco irmãs. Sou uma das filhas do meio e, quando éramos pequenas, minha irmã gêmea Pati e eu ficávamos discutindo para saber qual das duas era a terceira ou a quarta em ordem de idade. Durante a minha infância, queria ser ou jogadora de vôlei profissional ou veterinária.

Quando tinha 13 anos, minha mãe, preocupada com a minha má postura — eu já media 1,75m —, me matriculou junto com duas das minhas irmãs num curso de modelo e manequim na nossa cidade. No fim do curso, nós embarcamos numa excursão para Curitiba, São Paulo e Rio de Janeiro. A viagem de ônibus pareceu interminável, durou 27 horas. Algumas mães viajaram conosco, incluindo a minha. Num shopping em São Paulo, um homem se aproximou de mim e soltou uma frase que me deixou desconfiada: *Você quer ser modelo?* Eu gritei "Mãe!", e ela veio correndo. Mas esse cara — Zeca era o nome dele — era sério, um caça-talentos da Elite Model Management. Quando fomos até o escritório da agência, ele disse para minha mãe que ela devia me inscrever num concurso nacional, o Elite Look of the Year, e foi o que ela fez. Não consegui acreditar quando ganhei o segundo lugar, que veio acompanhado de uma passagem para Ibiza, na Espanha, para eu participar da etapa mundial do Elite Model Look. Foi minha primeira viagem de avião, a primeira vez que saí do Brasil. E acabei ficando entre as dez finalistas. Tudo estava acontecendo muito, muito rápido.

Final do concurso Elite Model Look em São Paulo, em 1994. Tinha 14 anos.

Um ano depois, em 1995, mudei para São Paulo para me lançar na carreira de modelo. Tinha 14 anos. Como se pode imaginar, sair de uma cidadezinha de 17 mil habitantes para morar na maior cidade

Um registro *behind-the-scenes* de um ensaio fotográfico no Rio de Janeiro, quando eu tinha 16 anos.

do Brasil foi uma mudança enorme. Depois de passar alguns meses trabalhando em São Paulo, a agência me mandou para Tóquio, no Japão, onde morei durante três meses fazendo fotos como modelo de catálogo. Meu primeiro grande momento aconteceu alguns anos depois, em Londres, quando o estilista Alexander McQueen me selecionou para o desfile de sua coleção prêt-à-porter. Eu desfilei pela passarela sem camisa, assustada, com um top branco pintado no meu corpo no último minuto por uma maquiadora, enquanto uma chuva artificial caía do teto. Depois do desfile de Alexander McQueen, a indústria da moda passou a me chamar de *The Body* — ou "O Corpo" — e o apelido pegou.

Em 1999, trabalhei como modelo para Versace, Ralph Lauren, Chloé, Missoni, Valentino, Armani e Dolce & Gabbana. A revista *Vogue* me escolheu para representar o fim da era das modelos *heroin chic*. Naquele ano, fui capa da *Vogue* francesa e três vezes capa da *Vogue* americana. A manchete de uma das matérias era "A volta das curvas". Terminei aquele ano ganhando o prêmio de Modelo do Ano da *Vogue*. Na primavera de 2000, trabalhei como modelo para Marc Jacobs, Donna Karan, Calvin Klein, Christian Dior, Prada, Valentino e muitas outras grifes renomadas em Nova York, Milão e Paris. De 1998 a 2003, estrelei todas as campanhas de moda da Dolce & Gabbana e, de 2000 a 2007, fui uma das Angels da Victoria's Secret. Nos últimos vinte anos, apareci em mais de 1.200 capas de revista, quase 450 campanhas publicitárias e participei de cerca de 500 desfiles de moda. Em 2015, optei por reduzir o ritmo da carreira de modelo, porque queria me concentrar mais na minha família e em projetos pessoais. Meu último desfile foi na abertura das Olimpíadas no Rio de Janeiro em 2016. Percorri a passarela mais longa da minha vida ao som de "Garota de Ipanema", de Tom Jobim. Foi eletrizante! Aquele momento pareceu ser o ponto culminante de tudo o que tinha vindo antes.

Tudo isso aconteceu — embora eu tenha deixado todos os detalhes de fora. Essa é a história da minha vida pública. Mas tudo o que vivi em público tem pouquíssima relação com quem realmente sou, com o que mais importa para mim, ou com as coisas em que acredito e com o que desejo oferecer para o mundo. O irônico é que, embora eu seja conhecida pelo meu trabalho como modelo, nunca senti que aquela pessoa na passarela, ou nas revistas, ou nos comerciais de TV fosse eu. Na escola, meus colegas debochavam de mim por causa da minha altura, da minha magreza e da minha aparência. Por maior que seja o seu sucesso na vida adulta, não acredito que isso seja capaz de mudar completamente o modo como você se via na infância.

Então, quando comecei a trabalhar, mesmo que a princípio eu tivesse o porte de modelo, me sentia desajeitada. O fato de algumas pessoas da indústria da moda me dizerem que meus olhos eram pequenos demais e que meu nariz e meus seios eram grandes demais reforçava esse sentimento. Aos 14 anos, nada parecia ser mais desagradável ou me fazia sentir mais constrangida do que um estilista me dizendo que eu era bonita, ou um fotógrafo me dizendo como fazer uma pose, ou ainda ouvir um editor comentando sobre o meu corpo, os meus seios, os meus olhos ou o meu nariz como se eu não estivesse lá.

Foi por isso que, por volta dos 18 anos, numa tentativa de me proteger e evitar sofrer ou me sentir como um objeto, eu criei um escudo ao redor de mim mesma. O meu eu privado era Gisele, mas a modelo Gisele era *ela*. Era como eu a chamava também — *ela*. *Ela* era uma atriz. Uma performer. Uma camaleoa. Uma personagem que criei para expressar a fantasia de um estilista. Eu chegava para trabalhar e ouvia o que o fotógrafo queria, o que o estilista queria, o que o maquiador queria. As ideias deles se uniam para criar um clima, e eu, de repente, conseguia ver *ela*, sentir *ela*. Trabalhar como modelo era uma forma de explorar todas as facetas da minha personalidade, incluindo aquelas que eu nem sabia que tinha. Sendo *ela*, podia expressar qualquer emoção, qualquer atitude. Era como se, me desconectando de mim mesma, pudesse ser livre, enquanto mantinha o meu eu verdadeiro escondido e seguro. *Ela* podia ser sexy ou recatada. *Ela* podia ser uma soldada ou uma mulher atrevida. *Ela* podia ser um rosto ou um corpo no meio de dois extremos. Eu não sonhava em ser modelo — quando era pequena, nem sabia que era uma profissão. Eu simplesmente vi o que estava acontecendo comigo como uma oportunidade de ganhar a vida. As portas se abriram — primeiro uma, depois outra —, e entrei por elas. Havia também uma questão prática em jogo. Quando criança, cheguei a ouvir meus pais discutindo por causa de dinheiro. Achei que, se tentasse ser modelo, e até me tornasse boa nisso, poderia ajudar a nossa família. Então decidi aproveitar a chance que estavam me oferecendo e ver o que poderia acontecer.

Mas, em vez de escrever sobre *ela*, quero me concentrar em quem *eu* sou. Portanto, neste livro divido alguns aprendizados que me ajudaram a levar uma vida mais consciente e alegre, que me inspiraram a superar cada desafio que enfrentei ao longo dos anos e que me trouxeram uma compreensão mais profunda de mim mesma e do mundo ao meu redor.

Alguns desses aprendizados descobri do jeito mais árduo — por experiência própria. Outros pude observar as pessoas no decorrer dos anos e cheguei à conclusão do que *não* fazer e de como *não* agir. Cada capítulo deste livro traz histórias extraídas das minhas próprias experiências, ilustrando meu processo de aprendizado e o que acontecia na minha vida naquele momento. Também tive muitos professores ao longo do caminho. Descobri que a natureza é uma grande professora e uma fonte de cura muito poderosa. Aprendi a prestar atenção à minha voz interior, de quem obtive *insights* importantes mesmo quando eu não queria ouvir. Aprendi que nossos pensamentos, nossas palavras e ações estão conectados, e por que precisamos ser cuidadosos com eles. Eu comecei a nutrir meu corpo, minha mente e meu espírito através da meditação, de alimentos curativos e de uma visão positiva da vida, e o resultado disso é que fui capaz de experimentar uma clareza mais profunda e um sentido de propósito mais amplo. Espero que, ao dividir minha história, ela possa servir de inspiração e ajuda para outras pessoas que estejam passando por situações semelhantes.

Eu bebezinha na minha casa em Horizontina, em 1981.

Então, se a modelo de quem falei antes era *ela*, quem sou eu?

Se tem uma palavra que uso para me descrever é *simples*. Sou o tipo de mulher que gosta de andar de calça jeans, camiseta e pés descalços. Minha família vai dizer a mesma coisa. Sempre fui aluna da escola da vida, sempre curiosa, sempre querendo saber mais. Naturalmente, quando saí da minha cidade para iniciar a carreira de modelo, passei a experimentar o mundo de novas maneiras. Pelas duas décadas seguintes, comecei o processo de descobrir quem eu era. Como já disse, essa Gisele é muito diferente da minha pessoa pública. Eu nasci numa família trabalhadora de classe média numa cidade no sul do Brasil chamada Três de Maio. Além dos meus pais, havia em casa seis de nós meninas: Raque, Fofa, Pati, Gise (essa sou eu), Gabi e Fafi. Minha mãe, sempre batalhadora, trabalhava como bancária e ainda dava conta de toda a rotina da casa e das filhas. Meu pai era um empreendedor, teve muitas atividades diferentes. Ele estava sempre lendo, aprendendo e criando, e era — e ainda é — um espírito livre de verdade. Hoje atua como palestrante motivacional e sociólogo trabalhando comigo em projetos ambientais.

Tivemos a sorte de crescer tendo uma grande variedade de árvores frutíferas no quintal de casa — abacate, pitanga, pêssego, goiaba, mamão, butiá e três tipos diferentes de bergamota (minha fruta preferida) — que eu colhia e carregava na camiseta dobrada.

Sempre amei a natureza. Sentia que a terra e a areia debaixo dos meus pés, as árvores, as nuvens, os pássaros e os raios de sol faziam parte de quem eu era, sentia que *eu* era a natureza. Lembro-me do quanto adorava

Meu pai e minha mãe (segurando Gabi no colo) e, no meio, Raque e Fofa, no meu aniversário e da Pati (sou eu na frente e à esquerda, de língua de fora), em 1983.

visitar o sítio da minha avó materna, onde ela tirava o leite das vacas, cultivava quase tudo o que comia e fazia as próprias roupas. A vó preparava comidas deliciosas para nós, como as cucas — uma versão alemã do panetone, só que com pedacinhos de morango ou uva no meio da massa —, que eram servidas com nata fresca ainda morna recém-tirada do leite.

Fui criada na religião católica, e minha mãe nos levava à missa todo domingo. Assim como as minhas irmãs, não gostava muito de ficar sentada naqueles bancos duros ouvindo o padre falar. Mas gostava dos cantos (minha mãe tinha uma linda e poderosa voz de soprano). Também gostava das festas que aconteciam no salão paroquial, onde eu comia qualquer coisa servida pelas senhoras da igreja — salada de repolho, massa e churrasco — com as outras crianças. Ainda adoro as histórias da Bíblia e as ensino aos meus filhos. Mas eu sempre ficava matutando o *porquê* de tudo e, a certa altura, comecei a questionar o que estavam me ensinando.

Um dia, numa aula de religião, quando tinha uns 12 ou 13 anos, estávamos estudando o Levítico, e levantei a mão. Como a lei "olho por olho, dente por dente" podia existir ao mesmo tempo em que Jesus nos ensinava a amar nossos inimigos e sempre oferecer a outra face? Como *isso* funcionava? Eu não estava tentando bancar a espertinha, mas aquilo simplesmente não fazia sentido. Em vez de responder à minha pergunta ou iniciar um debate, a professora pareceu surpresa, depois frustrada, e me mandou para a diretoria. Eu não achava que tinha feito nada de errado! (E continuo não achando.)

À esquerda: Festa de aniversário minha e da Pati em 1987, em Horizontina. Acho que dá para ver como fiquei feliz depois de esperar um ano inteiro para ganhar a Fofura, minha boneca favorita! *À direita*: Pati e eu adorávamos brincar com os pintinhos na casa da nossa avó, em 1983. Era o meu lugar preferido quando criança.

Por que ela não me deu uma resposta? Se ela não tinha a resposta, quem teria? Meus pais é que não. Minha mãe e meu pai estavam ocupados demais trabalhando enquanto tentavam criar seis filhas. E as perguntas sem respostas iam se acumulando. Quem eu era? Por que eu estava aqui? Como o mundo começou? À medida que as dúvidas aumentavam, também crescia minha resistência a qualquer tipo de sistema que afirmasse: *Estes são os fatos, é assim que funciona, e só existe um caminho.*

Talvez tenha sido essa busca constante que tenha me levado a ficar fascinada pelo mundo espiritual. Eu rezava à noite para Deus, para minha estrela guia, para os meus anjos da guarda. No início da adolescência, comecei a ler não só sobre religião, mas sobre crenças, metafísica e mitologia. Esses são meus assuntos preferidos até hoje. Em algum momento passei a acreditar que todos nós vivemos num mundo regido por ilusões, e que o meu — o nosso — dever é descobrir quem realmente somos e encontrar nosso propósito individual. Tudo o que vivemos, as coisas boas e as ruins, tem um significado, mesmo quando não conseguimos entender imediatamente qual é. Tudo acontece para que nós possamos aprender e evoluir.

Eu digo aos meus filhos que Deus é uma energia que está por trás da criação de tudo. Deus é visível nas montanhas, nos oceanos, no céu, nas árvores, na luz do sol, na chuva, nos animais e nas estações do ano. Sem a natureza, nada nem ninguém existiria. A natureza é divina e é ela que nos mantém vivos.

Hoje, com 38 anos, sinto que estou diante de uma vida completamente nova — um tipo de renascimento. Meu objetivo agora é continuar a aprender e desenvolver meus talentos para usá-los para ajudar a servir a um bem maior. Acredito que muitas pessoas estejam preocupadas e distraídas com o excesso de informação e de notícias ruins, e espero que este livro sirva como uma ferramenta de inspiração para que se concentrem nos valores internos e espirituais. Quando era mais jovem, não havia como prever o que aconteceria comigo vinte anos depois. Estava ocupada demais vivendo, ocupada demais fazendo escolhas. Uma vez li que, quando olhamos para o nosso passado, podemos ver uma linha narrativa, uma ordem ou um plano, como se fosse algo gerado por uma força invisível, e que os acontecimentos, e até mesmo as pessoas presentes na nossa vida, que pareciam aleatórios ou sem importância num dado momento, se tornam, no fim das contas, indispensáveis para a nossa história. Nossas vidas também desempenham um papel importante nas das outras pessoas. É como se nossas vidas fossem engrenagens de um grande sonho de um sonhador solitário no qual todos os personagens também estão sonhando. Quando olhamos para trás, é como se, sem saber, estivéssemos criando juntos as nossas vidas — mas de que jeito, e com quem?

Sei que ainda sou relativamente jovem, mas, olhando para a minha vida até o momento, tenho uma enorme sensação de gratidão. Oportunidades fenomenais me foram oferecidas, e trabalhei duro para tirar o melhor proveito de cada uma delas. Minha vida não foi desse jeito por acaso. *Escolhi* me mudar para São Paulo quando tinha 14 anos. Muitos anos depois, *escolhi* me casar com meu marido. *Escolhi* formar uma família com ele. Poderia nunca ter saído do Brasil. Poderia ter sido jogadora de vôlei profissional (eu era boa nisso) ou ter me tornado veterinária. Poderia ter me casado com outra pessoa, ou nunca ter me casado ou tido filhos. A vida que levo hoje é a consequência das dezenas de decisões que tomei. Quando era mais jovem, aproveitei as portas que se abriram para mim. Mas, com o passar dos anos, comecei eu mesma a abrir as portas. Se fizermos escolhas mais conscientes e com uma maior compreensão de nós mesmos, estaremos mais alinhados com o nosso propósito na vida, seja ele qual for.

Ao longo dos anos, amigos e desconhecidos me confidenciaram sobre as dificuldades enfrentadas pelas meninas e mulheres em suas vidas. Ouvi que suas filhas ou amigas estavam enfrentando depressão, ansiedade, distúrbios alimentares, automutilação, e, diante disso, compartilhei algumas das minhas *próprias* experiências desafiadoras, na esperança de que isso fizesse com que elas se sentissem apoiadas e que soubessem que não estavam sozinhas. Somos todas bombardeadas com imagens de como deveria ser nossa aparência, ou de como deveríamos nos comportar. E, sim, sei que por mais de duas décadas trabalhei numa indústria que tende a exaltar padrões inalcançáveis de beleza, estilo e glamour. Sei também que as redes sociais são talhadas para expor os melhores momentos das nossas vidas, não os piores. No meu Instagram, você não vai encontrar muitas fotos minhas com dor de cabeça ou com olheiras por ter ficado a noite inteira acordada cuidando dos meus filhos quando estão doentes.

A vida pode ser mágica, mas viver bem exige esforço, foco, paciência, compaixão, determinação e disciplina. Invejar ou se comparar com *qualquer pessoa* é uma receita tóxica. A inveja só gera a sensação de nunca sermos bons o suficiente. Acredito que somos — cada um de nós — únicos à nossa própria maneira. Cada um de nós tem algo único e especial a oferecer, e que somente *nós* podemos dar ao mundo.

Muitas mulheres estão simplesmente sobrecarregadas. Estejam elas no ensino médio, com excesso de atividades em suas agendas diárias, ou na casa dos trinta ou quarenta anos ficando esgotadas enquanto tentam ser boa mãe, esposa perfeita, ter sucesso no trabalho, ou as três coisas, sem nunca ter tempo só para si. Elas perderam a conexão com a natureza e com elas mesmas. Estão buscando respostas do lado de fora, sem perceber que as respostas que realmente importam estão do lado de *dentro*. Houve um tempo em que *eu* fui assim. Então, naturalmente, estou escrevendo este livro para o meu eu mais jovem. Se alguém tivesse compartilhado estas lições comigo quando eu era adolescente ou quando eu tinha vinte e poucos anos, talvez minha jornada tivesse sido um pouco mais fácil. E também quero compartilhar essas lições com meus filhos. Sempre me pergunto: *De que forma eu poderia ajudá-los se eles não fossem meus filhos? Ou se eu não estivesse aqui? Como eu posso deixar para eles algo importante e de valor?* As lições contidas neste livro são as que mais quero que meus filhos aprendam e que se lembrem delas como luzes que guiarão suas vidas.

Por 23 anos fui aluna na escola da moda, e uma das primeiras coisas que descobri foi como ela podia ser superficial. Por muito tempo na minha carreira de modelo, me senti dividida e culpada. Trabalhar como modelo nunca foi minha paixão nem a minha identidade. Foi uma oportunidade de trabalho que surgiu quando eu era muito jovem, e eu a abracei. Mas isso não quer dizer que eu não seja extremamente grata por todas as oportunidades que tive e a todas as pessoas que me deram essas oportunidades. Hoje, toda a visibilidade que tenho existe por causa do meu trabalho no mundo da moda, e agora posso usar algumas das ferramentas que adquiri para atrair mais atenção para projetos que são importantes para mim e que, acredito, possam ter um impacto positivo no mundo.

A maioria das pessoas me conhece apenas como uma imagem, um objeto, uma tela em branco na qual podem projetar suas próprias histórias, seus sonhos, suas fantasias — o que, ironicamente, era a mesma abordagem que eu adotava no trabalho quando me tornei *ela.* Por 23 anos, também fui uma imagem sem voz. Tenho isso em comum com muitas mulheres. Quantas vezes nos passaram a mensagem de que nossas vozes não valiam a pena ser ouvidas, seja quando somos ignoradas numa reunião, ou criticadas nas redes sociais, ou reduzidas a um conjunto de partes corporais? Permitir a mim mesma me abrir e mostrar meu lado vulnerável — não *ela*, mas eu, Gisele — é bem assustador. Não vou mais poder me desconectar nem me esconder. Ao mesmo tempo, acredite em mim: nada é mais estranho do que ser o objeto das projeções de outras pessoas. Ser conhecida e ao mesmo tempo desconhecida já não me parece certo. A vida nem sempre é fácil, nem é um conto de fadas, e

Durante a celebração da Revolução Farroupilha, dia do gaúcho, em Horizontina, setembro de 1986. Eu sou a de vestido laranja.

todos enfrentamos desafios, não importa quem sejamos. Ao falar abertamente, espero que possa inspirar outras mulheres a fazerem o mesmo, principalmente numa época em que as mulheres *precisam* apoiar umas às outras mais do que nunca. Afinal, as mudanças só acontecem quando estamos dispostos a defender aquilo em que acreditamos.

Os aprendizados neste livro não são regras. Como alguém que sempre questionou o *status quo*, é claro que não quero me transformar no *status quo* de ninguém. Algumas destas lições podem parecer familiares, ou até mera questão de bom senso. Meu objetivo é simplesmente interpretar crenças específicas no contexto da minha vida e das minhas experiências. E, como a maioria das pessoas, ainda estou aprendendo e tentando melhorar todos os dias. Se estes aprendizados forem úteis, ótimo. Se uma, duas, ou todas as oito não fizerem sentido para você, deixe-as para lá e siga seu caminho. Lembre-se de que eu cresci questionando qualquer um ou qualquer coisa que pretendesse ter todas as respostas, e talvez você se sinta do mesmo jeito. Nem por um segundo estou tentando ser uma autoridade ou uma especialista. Não sou melhor nem pior do que ninguém. Estes aprendizados simplesmente deram certo para *mim* e me ajudaram a melhorar minha *própria* vida ao atribuir a ela um significado mais profundo.

Ainda assim, se você guardar apenas uma mensagem deste livro, espero que seja a importância de viver a vida com amor. De amar a si mesmo. De amar os outros. De amar o mundo no qual todos nós vivemos. Jogue para o alto todo o resto, mas, por favor, jamais viva sua vida sem amor.

1

Tudo começa com a disciplina

Disciplina é uma palavra difícil de se gostar, principalmente quando se é jovem. *Não posso deixar para pensar nisso daqui a alguns anos*? É uma palavra que parece pertencer à vida militar, a colégio interno, ou a uma lista de regras e regulamentos que nos impedem de fazer algo que queremos. A disciplina pode parecer às vezes inimiga da diversão e da felicidade, um enredo adulto projetado para abafar a alegria e a inspiração.

Na verdade, não é nada disso. A disciplina é mais que só trabalho duro, é onde o processo se inicia. Desde que me entendo por gente, sempre fui extremamente organizada e esforçada, seja quando estava ajudando minhas irmãs a limpar a casa, praticando esportes, estudando para a escola, trabalhando como modelo ou, mesmo hoje, sendo esposa e mãe que trabalha fora. E é por isso que sinto uma conexão tão forte com este primeiro aprendizado: *Tudo começa com a disciplina*. Acredito que todo sucesso que eu tenha alcançado na vida seja resultado de foco, trabalho árduo, dedicação, pontualidade, fazer o que era necessário, sempre dando 100% de mim em tudo o que fazia — e ainda é assim que levo a vida: com disciplina.

Na nossa casa, era importante ter disciplina. Com seis crianças, todas meninas, tagarelando ao mesmo tempo, era uma necessidade. Minha mãe estava sempre correndo de lá para cá, se esforçando ao máximo para cuidar de todas nós. Todos os dias, às seis horas da manhã, ela acordava e nos preparava de café da manhã leite batido com abacate, banana ou maçã e um pouco de açúcar, ou às vezes fazia torradas, que é como no Rio Grande do Sul a gente chama o misto-quente. Depois disso, minha mãe — ou meu pai — nos levava para o colégio e ia para o trabalho, voltando para casa ao meio-dia para que pudéssemos almoçar todos juntos. Nos fins de semana, ela acordava ainda mais cedo para lavar nossas roupas, preparar comida e congelar as refeições para a semana seguinte.

Com oito pessoas compartilhando três quartos e dois banheiros, minhas irmãs e eu entendemos desde cedo que tínhamos de ajudar. Cada uma de nós recebia uma tarefa de limpeza antes de podermos sair para brincar. Quando Raque ou Fofa tocavam o sino, cada uma ia para o seu posto.

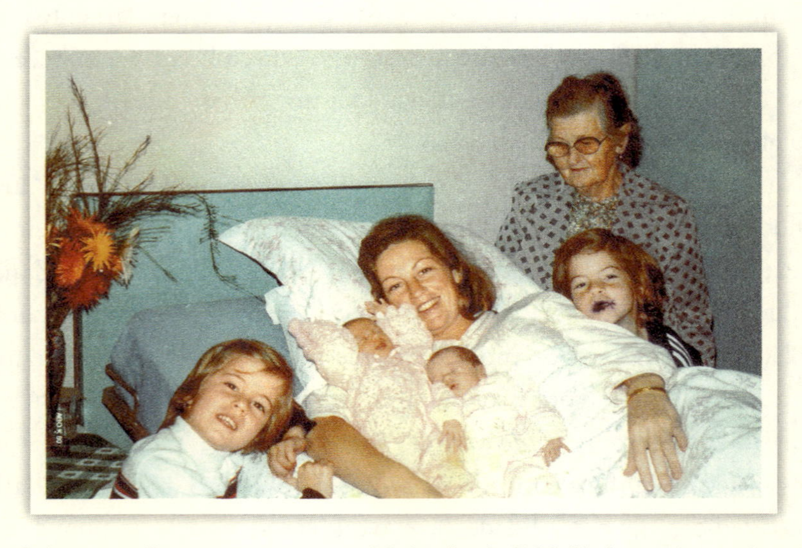

O dia em que Pati e eu nascemos, em 20 de julho de 1980. Minhas irmãs e minha avó materna foram nos conhecer.

Sempre tirávamos fotos de família em frente à árvore de Natal num canto da nossa casa. *No alto, da esquerda para a direita*: Raque e minha irmã gêmea, Pati. *Embaixo, da esquerda para a direita*: meu avô paterno, Walter, Gabi, Fofa, eu com a boca aberta, e minha avó paterna, Lucila, segurando a Fafi no colo.

Quase sempre eu era encarregada de limpar o banheiro e geralmente passava um tempão esfregando o espaço entre os ladrilhos com uma escova de dentes até tudo ficar tão limpo que daria para comer no chão. (Para me sentir bem, sempre precisei que os espaços à minha volta estivessem limpos e organizados. Se há bagunça ao meu redor, não consigo nem pensar direito.) Minhas irmãs e eu também servíamos extraoficialmente como "mães" das mais novas. Com 8 anos, eu me lembro de trocar as fraldas da minha irmã Fafi e, depois, de ajudar minhas irmãs mais velhas a fritar pastéis, que ajudávamos nossa mãe a preparar do zero — massa dobrada e fechada com recheios de frango, carne, ou queijo e espinafre.

Boa menina, diziam meus pais sempre que uma das minhas irmãs ou eu fazia alguma coisa bem-feita, quando éramos educadas, quando fazíamos o que nos era pedido, quando nos esforçávamos, tirávamos boas notas ou jogávamos uma boa partida de vôlei. Mas, mesmo se os planos não saíam como o esperado, minha mãe e meu pai sempre nos faziam sentir que tínhamos feito o nosso melhor quando nos dedicávamos e nos esforçávamos. *Boa menina* era um superelogio. Sempre me deixava orgulhosa do esforço que eu tinha feito.

Estivesse eu esfregando azulejos no banheiro, estudando sem parar para ir bem na escola, ou praticando esportes, sempre colocava muito foco e motivação em tudo o que fazia. Aos 10 anos, quando comecei a jogar vôlei, disse a mim mesma que, para ser boa naquilo, precisaria treinar pelo menos duas horas por dia. Decidi que treinaria com a maior garra possível para entrar na equipe, e talvez até no time da categoria logo acima da minha. O modo como eu encarava os estudos não era diferente. Se não era boa em uma matéria, ficava acordada a noite inteira estudando, se necessário, até tirar um 10. Disciplina nunca foi uma ideia distante nem algo que eu viria a desenvolver mais tarde na vida. Sempre fez parte de mim dar o meu melhor, deixar meus pais orgulhosos, não decepcionar ninguém. Se eu desejava ser bem-sucedida em algo, não ficava só imaginando o que queria nem esperando que isso surgisse do nada, na expectativa de que alguém fosse me entregar o que eu desejava de mão beijada. Eu sabia que tinha de *botar a mão na massa e fazer acontecer*, mesmo se estivesse um pouco temerosa e parecesse algo impossível. Sempre me esforçava ao máximo, porque, se desse qualquer coisa menos que o meu melhor, sabia que ficaria chateada comigo mesma. Além disso, por trás do meu senso de disciplina, existia a forte sensação de que, qualquer que fosse o meu objetivo, conseguiria alcançá-lo se me esforçasse o suficiente. Mesmo quando tinha medo, nunca me sentia desencorajada. Eu me sentia *desafiada*.

Com o tempo, acabei me tornando mais disciplinada ainda, provavelmente porque conseguia ver os resultados diretos desse meu modo de agir.

Minha amiga Maqui, eu, minha amiga Kaká e minha irmã Pati com nossas roupas de Paquitas, pouco antes da apresentação no festival de música de Horizontina, em 1992.

Aos 14 anos, quando deixei minha cidade e minha família para me mudar para São Paulo e tentar a carreira de modelo, eu estava determinada. Dizia a mim mesma: *Não volto para casa de mãos vazias. Não vou desapontar meus pais e minhas irmãs. Vou ralar muito, o máximo que puder, e fazer o que tiver de fazer, mesmo que isso signifique trabalhar dia e noite.* Sem disciplina, talvez eu tivesse pegado o primeiro ônibus de volta para casa. O trabalho era intenso, e eu sentia saudade da minha família. Quase sempre me sentia sozinha. Mas fiquei em São Paulo e persisti. Uma oportunidade surgia, seguida de outra e então mais uma. E eu continuava me dedicando.

Em 1999, após assinar contrato com a Victoria's Secret, passei a trabalhar 350 dias por ano. Durante uma temporada padrão de desfiles, em um único dia poderia participar de até seis desfiles, seguidos de várias provas de roupas para o dia seguinte. Cabelo e maquiagem podiam começar às seis da manhã, e as provas às vezes se estendiam até o raiar do dia seguinte. Não importava se tivesse ido para a cama às duas da madrugada fazendo prova de roupa na noite anterior. *Eu sempre chegava para trabalhar todas as manhãs pontualmente.* (Não era um cenário muito glamoroso. Raramente alguém me oferecia um copo d'água, e algumas pessoas se sentiam à vontade para me criticar na minha cara.) Na adolescência e no início da juventude, eu me lembro de ter conhecido uma modelo mais linda que a outra — havia tantas. Eu mal podia acreditar

Dentro de um barquinho indo gravar o comercial no meio de icebergs na Islândia, em 1998. Estava congelando!

quando, de alguma forma, era eu quem acabava sendo contratada para muitos dos trabalhos. Por quê? Sou obrigada a acreditar que a disciplina teve um papel decisivo nisso. Além disso, eu também procurava ser uma pessoa agradável de se ter por perto, sempre disposta a aprender e contribuir com o melhor que podia. Todo trabalho é fruto de colaboração, e ser modelo não é diferente. Nunca me atrasei — nem uma única vez. Eu sempre estava 100% comprometida. Certa vez, num trabalho na Islândia, me disseram para ficar de pé num iceberg cenográfico flutuando em meio a uma geleira, usando apenas um vestido de alcinhas. Fazia um frio de rachar, e eu tinha medo de escorregar e cair na água congelante, mas mesmo assim sorria, fazendo de tudo para ser profissional e não demonstrar meu pânico. Disse a mim mesma que, não importava se eu estivesse tremendo ou se meus lábios estivessem ficando roxos, ia dar o melhor de mim.

Eu me sentia feliz de verdade só por estar lá! Ficava muito grata por cada oportunidade que me era dada. Por que alguém no meu lugar, fazendo o que eu estava fazendo, não se sentiria a pessoa mais sortuda do mundo, mesmo de vestido de alcinhas no meio de uma geleira?

Por incrível que pareça, acredito que uma das razões para eu ter me tornado uma boa modelo é que nunca fui naturalmente fotogênica. Várias modelos ficam maravilhosas nas fotos, mas eu sentia que não ficaria bem simplesmente posando para a câmera. Eu precisava me manter em movimento, mais como uma atriz ou uma dançarina, a fim de criar um momento especial. Era importante, para mim, fazer meu trabalho bem-feito, mas também jamais deixar que ele definisse quem eu era. Na verdade, nunca me *tornei* modelo; eu *atuava* como modelo. Normalmente trabalhava o dia inteiro e depois ia para casa ficar com a minha cachorrinha Vida e ler. Não estava interessada em festas, glamour, roupas chiques e noitadas. Eu ficava mais feliz em ir para casa ler um bom livro.

Acredito que, se você quer ter sucesso, há quatro passos fundamentais a seguir — ou pelo menos foi assim comigo.

Clareza vem em primeiro lugar. Tudo na vida começa com um sonho. Mas primeiro o sonho precisa ser claramente definido e, o mais importante, você precisa entender por que quer aquilo. Aos 14 anos, aos 20 e aos 27, eu nunca disse para mim mesma: "Meu objetivo é ser uma modelo famosa." Em vez disso, minha ênfase era em *ser a melhor que podia ser no que faço, o que significa dar o meu melhor*. Sinceramente, eu poderia ter escolhido seguir outras profissões! E, mesmo assim, seja lá o que eu fizesse, sabia que teria de ser a melhor. Não a melhor comparada a outras pessoas, mas a melhor versão de *mim mesma*.

Pela minha experiência, definir claramente o que você quer lhe dá direcionamento e desperta a chama interior que traz motivação. Talvez você tire notas 7 na escola e queira tirar 10. Ou talvez deseje ser excelente num esporte. Uma ótima esposa e mãe. Um ser humano exemplar. Ter sucesso no trabalho. Talvez você queira fazer exercícios regularmente ou meditar todos os dias. Então estabeleça seu objetivo com muita clareza desde o começo. Como alcançar suas metas vai servir a um propósito maior? *Por que* isso é importante para você? O que você vai fazer para chegar mais perto de atingir seus objetivos? Do que precisa para chegar lá?

Também é importante estabelecer expectativas razoáveis. Sei, por experiência própria, o perigo que é estabelecer metas muito acima do alcançável e, quando não se chega lá a frustração faz com que você se sinta um fracasso, quando a verdade é que você simplesmente não foi realista.

Assim que houver clareza quanto ao que você deseja alcançar, o próximo passo é ter *foco* — tomar as várias pequenas atitudes que vão impulsionar você. É aqui que entra o trabalho árduo. O que será necessário para alcançar sua meta? Você precisa mudar sua rotina diária ou eliminar da sua vida certos comportamentos, ou até mesmo algumas pessoas que não lhe fazem bem? Se você tira notas 7 e quer tirar 10, isso pode significar que terá de começar a acordar uma hora mais cedo para estudar, ou pedir ajuda extra ao professor, ou formar um grupo de estudos. Também pode procurar um mentor ou alguém que admira e que possa guiar você.

O terceiro passo é *dedicação*. Isso significa permanecer nos trilhos ao longo do percurso, se dando o crédito pelo que fez bem-feito, mas também se concentrando nas áreas em que precisa melhorar. Como é que você está praticando? Como está medindo seu progresso? Vem se concentrando apenas no que já faz bem, ou também testa seus limites ao direcionar os esforços para aquilo que talvez não seja seu ponto forte, tentando superar as dificuldades? Pela minha experiência, pude constatar que trabalho duro e dedicação não são a mesma coisa. Dedicação inclui compromisso com um objetivo ou ideal específico. Várias pessoas trabalham arduamente, mas algumas não seguem os passos necessários para alcançar o que realmente desejam. Você pode estabelecer objetivos para a sua vida, mas sem dedicação eles não serão atingidos. Quem tem mais chance de se tornar um músico de sucesso: o pianista que estuda uma hora por dia ou aquele que estuda quatro horas diariamente? Dedicar-se significa investir tempo *naquilo* que você quer e ama, nas áreas em que deseja alcançar excelência. A dedicação diz: *Eu vou seguir em frente, não importa o que aconteça.* Sem dedicação é menos provável que você enxergue os benefícios de todo o seu esforço. Se ter foco significa dizer sim ao trabalho duro, ter dedicação significa dizer não à distração — às atividades e até mesmo às pessoas que puxam você para outras direções ou lhe levam a desistir. Responda honestamente: O que você consegue fazer em um dia? Você gasta todo o seu tempo respondendo mensagens de texto e e-mails? Está progredindo ou apenas correndo atrás do prejuízo? Eu continuei dando um passo depois do outro, mesmo quando meus

Eu estava em São Paulo, em 1996, andando até uma Blockbuster debaixo de chuva, quando ouvi um miado. Levei o gatinho para casa e o batizei de Fominha, já que ele devorava em dois segundos tudo o que eu lhe oferecia. Quando soube que não poderia levá-lo para os Estados Unidos, durante meu processo de mudança para lá, alguns meses depois, me certifiquei de que ele ficasse num bom lar.

colegas de escola debochavam de mim, ou quando sentia saudade de casa aos 14 anos, ou quando era rejeitada para algum trabalho. Eu seguia em frente, em um *casting* (processo seletivo no mundo da moda) após outro. É claro que havia vezes em que sentia muita falta dos meus pais e das minhas irmãs, mas, apesar de esses momentos serem dolorosos e desviarem o foco, eram apenas visitantes temporários, que iam e vinham. Pois, acima de tudo, eu queria — precisava — mostrar a mim mesma que era capaz de fazer aquilo com que tinha me comprometido.

O quarto passo, *humildade*, é especialmente importante para mim. Se você tem clareza, foco e dedicação, e acaba tendo sucesso no que se propôs a fazer, talvez passe a acreditar que merece um tratamento diferenciado. Nada disso! A maioria das pessoas não percorre um caminho fácil até o topo, não importa a profissão. Todos nós enfrentamos desafios ao longo da jornada que nos forçam a crescer e a aprender. Sei que não sou nenhuma exceção. Quando um certo nível de sucesso é alcançado, chega o momento de refletir sobre todos os seus desafios. Sim, você pode ser uma pessoa extraordinária. Suas habilidades e seus talentos podem fazer você se destacar. Você pode exercer, como eu, uma profissão que tem bastante visibilidade, na qual se torna uma pessoa pública. Bom para você! Mas, na minha cabeça, no momento em que começa a pensar que é melhor que os outros, suas conquistas passam a não valer tanto. Você cai e volta ao primeiro degrau da escada. Mas, se você tem humildade, alcança algo mais importante que o sucesso material: você se torna um eterno aprendiz. A humildade lhe permite crescer a partir dos próprios erros e saber que todo mundo e todas as vivências podem lhe ensinar *alguma coisa*. Na minha experiência, ela abre as portas para uma vida mais consciente e significativa.

No fim das contas, será que somos assim tão diferentes uns dos outros? Somos todos alunos na escola da vida nesta Terra. Nosso campus é um pontinho azul flutuando no espaço. E, sinceramente, quem somos nós diante dessa imensidão?

Em 2015, optei por reduzir o ritmo da carreira de modelo, mas isso não significa que parei de trabalhar. Hoje, na verdade, sinto que trabalho tanto quanto antes, exceto que não viajo mais tanto assim. A mesma disciplina que me serviu a vida inteira agora é aplicada na tarefa de ser a melhor esposa e a melhor mãe que posso ser. Minha relação com a disciplina tem me ajudado a criar uma rotina diária, e mesmo assim faço adaptações constantes nela para encaixar os detalhes que estão em constante mudança na minha vida.

Ter esse tipo de estrutura me ajuda a permanecer focada, principalmente agora que tenho filhos pequenos. Há tantas interrupções e acontecimentos inesperados que me tirariam do eixo se eu *não tivesse* uma estrutura básica. Reconheço que tenho muita sorte, porque conto com uma rede de apoio, o que a maioria das pessoas não tem no dia a dia, mas ainda há uma longa lista de detalhes e atividades que não posso delegar a ninguém e exigem minha total atenção.

Depois que minha filha mais nova nasceu, me dei conta de que precisava mudar completamente minha rotina diária. Meu objetivo era destinar um tempo a cada pessoa e atividade que são importantes para mim. O dia só tem 24 horas. Então me perguntei: *Como seria uma agenda que me permitisse ter tempo suficiente para mim, meu marido, meus filhos e para os diversos projetos que gostaria de realizar no mundo?*

Para dedicar o amor e a atenção que quero dar aos meus filhos, ao meu marido, às minhas irmãs, aos meus amigos e até aos meus cães, em primeiro lugar preciso suprir minhas necessidades. Como mãe e esposa, sou eu quem dá o tom emocional da nossa família. Se não estiver me sentindo bem, se estiver estressada ou triste, a família inteira será afetada.

Um dia típico na minha nova rotina diária é mais ou menos assim: acordo normalmente entre cinco e seis da manhã com o som do "oceano" em meu celular, que fica sobre o criado-mudo ao lado da minha cama em modo avião. É um jeito suave de começar o dia. O barulho da água e das ondas quebrando me enche de uma sensação profunda de paz. Não me levanto correndo, a menos que as crianças me acordem antes de o som das ondas começar. Em vez disso, gosto de relaxar durante o processo de despertar, como se estivesse entrando de mansinho na água morna. Eu me espreguiço e me alongo um pouco, faço algumas respirações profundas, seguidas de alguns minutos de agradecimento pela vida, pelo meu marido, meus filhos e pela minha cama quentinha. Tom também se levanta cedo, principalmente durante a temporada de futebol americano, quando sai de casa para ir ao estádio antes das seis da matina quase que diariamente.

A primeira coisa que faço de manhã é pegar um vidro de óleo de coco no banheiro para o *oil pulling*, ou "terapia do bochecho com óleo". Essa é uma antiga técnica ayurvédica de bochechar óleo para limpar as impurezas da boca e desintoxicar dentes e gengivas. (Supostamente, também faz bem para a saúde intestinal.) Eu coloco uma colher de chá do óleo na boca e bochecho por dez a 15 minutos. Você pode usar vários tipos de óleo — gergelim, oliva, girassol; eu uso óleo de coco orgânico porque gosto do sabor. Continuo a bochechar enquanto me visto, ainda estou bochechando quando desço para deixar os cães saírem, e só então cuspo.

Depois de deixar os cachorros entrarem novamente em casa, eu medito. Acendo uma vela, me acomodo na posição de lótus e fecho os olhos. Na verdade, não faz diferença se você cruzar as pernas. O importante é sentar-se com a coluna reta, para que a energia possa fluir. Antes de ter filhos, eu fazia retiros em que ficava sentada em silêncio durante o fim de semana inteiro, ou até mais. Agora, por causa da minha vida agitada, medito todas as manhãs, geralmente por cinco minutos apenas. Essa prática me ajuda a manter um equilíbrio interior pelo restante do dia.

Eu medito desde 2003, por isso hoje consigo entrar rapidamente num estado profundo de meditação. Às vezes, medito para encontrar a resposta para alguma questão. Ou porque estou confusa com relação a alguma coisa e preciso de um *insight*. Por exemplo, se estou com um nó no estômago de fundo emocional, ou com um pensamento nebuloso que não vai embora, a meditação me ajuda a entender o motivo e também o que preciso fazer para encontrar alívio. Outras vezes meu objetivo é simplesmente obter paz ou calma interior. Às vezes, mudo um pouco a ordem das coisas. Quando o Tom está em casa, durante o recesso de temporada, de vez em quando medito na cama de manhã e novamente mais tarde, antes de uma reunião de negócios, já que isso me ajuda a manter a mente clara e focada. Se o Tom e eu estamos em férias e as crianças com a babá, medito por mais tempo. Criar espaço e tempo para a meditação

Benny meditando comigo sob a lua cheia na Costa Rica em 2014.

tem sido importante na minha vida e me trazido muitos *insights*. Algumas pessoas podem ver a meditação como perda de tempo, mas eu a vejo como um exercício de concentração e clareza. O resultado disso é que, na verdade, ela me faz economizar tempo. Hoje faço o possível para levar para o meu cotidiano a energia positiva que sinto durante essa prática, para estar presente e consciente de cada momento e de cada pensamento que cruzar minha mente. Isso pode acontecer enquanto estou me exercitando, fazendo uma caminhada ou uma refeição. Alguns dias são melhores que outros, mas a ideia é continuar praticando, sabendo que, com o tempo, fica mais fácil.

No que se refere a exercícios físicos, prefiro malhar logo depois de acordar, já que meu dia fica mais movimentado com o passar das horas. Se estou malhando em casa, coloco meus fones de ouvido e treino no elíptico enquanto escuto um audiolivro ou, às vezes, ouço um vídeo do YouTube sobre algum assunto que me fascina — por exemplo, uma série sobre o Egito ou a Grécia Antiga. Quando levo as crianças à escola — o Benny está com 8 anos, e a Vivi tem 5 —, às vezes dirijo até o TB12 Sports Therapy Center, em Foxborough, a cerca de meia hora da nossa casa em Boston, para fazer fisioterapia nos ombros e no joelho. (Já desloquei os ombros várias vezes e, no ano passado, me acidentei esquiando e lesionei o ligamento cruzado anterior do joelho.)

Assim como tudo na minha vida, minha rotina matinal nem sempre segue como o planejado. Tem dias em que me sinto exausta. Não *quero* acordar cedo para meditar e malhar, porque fui para a cama muito tarde, ou porque um dos meus filhos teve um pesadelo ou febre e dormiu ao meu lado e não consegui descansar. Há ocasiões em que o Tom joga em outra cidade e chega em casa de madrugada, e uma hora depois as crianças se amontoam na nossa cama. (Os jogos dele às vezes me deixam emocionalmente esgotada. Lá estou eu no estádio vendo caras de 130 quilos atropelarem o homem que eu amo, e não é um filme; é a realidade da vida do meu marido.) É por isso que preciso ser flexível e, certas manhãs, digo para mim mesma: *Ok, meditar não vai ser a primeira coisa que você vai fazer hoje. Você pode meditar depois do almoço.* A meditação é uma ferramenta. Está ali para me ajudar a ser o meu melhor, não para me prender ou punir. Assim, em algumas manhãs, dormir meia horinha a mais é a melhor coisa que posso fazer por mim. Em outros dias, quando o Benny e a Vivi acordam muito cedo, simplesmente passo alguns minutos com eles do lado de fora olhando o sol nascer atrás das colinas. Todos nós amamos admirar o sol.

Enfim, depois de meditar e malhar, bebo um copo de água morna, uns 250 ml, com o suco de meio limão. Isso ajuda a purificar o sistema digestivo. Enquanto tomo minha água com limão, preparo o café da manhã dos meus filhos e organizo o almoço que vão levar para a escola. (Acredito piamente na velha frase "Que seu alimento seja seu remédio" e levo a nutrição muito a sério.) Para o almoço, coloco na lancheira do Benny e da Vivi pasta de grão-de-bico, sopa de lentilha ou arroz com feijão. Acrescento cubinhos de pepino, abacate ou grão-de-bico com ervilha ao arroz para dar uma incrementada. Em alguns dias preparo burritos, a comida favorita do Benny, com um pouquinho de queijo salpicado por cima. Então encho as garrafinhas de água das crianças e adiciono a elas algumas gotas dos eletrólitos do meu marido. (Sempre tento gerar o mínimo possível de lixo, principalmente quando se trata de garrafas e sacolas plásticas. Meu objetivo é viver com o menor impacto possível sobre o meio ambiente, e nunca jogo fora nada que possa ser reaproveitado. Faço compostagem, reutilizo ou reciclo.)

O café da manhã é quase sempre agitado, com as crianças tagarelando, os cachorros nos rondando e um cronograma apertado. Em geral, preparo para o Benny e a Vivi torradas sem glúten com pasta de amêndoas e mel, ou ovos com fatias de abacate, ou uma tigela de maçã e frutas vermelhas picadas com iogurte de coco. Antes do café da manhã, ambos fazem suas

Benny e Vivi no primeiro dia de aula depois da semana de férias do Natal, em 2016. Olha só essas carinhas fofas!

tarefas domésticas. Benny alimenta os cães (sou eu quem enche os potes de ração, pois ele tem tendência de dar comida demais), e então ele e Vivi põem a mesa. Depois do café da manhã, as crianças colocam os pratos na pia. Quando dá tempo, Benny vai brincar de Lego e Vivi com seus pôneis em miniatura, ou às vezes eles gostam de brincar de pega-pega pela casa, principalmente quando o irmão, Jack, está com eles. Termino de limpar o balcão da cozinha, já que gosto de deixar os cômodos tão arrumados quanto os encontrei — além disso, como já disse, não consigo pensar direito quando estou num ambiente bagunçado. Só então tomo meu café da manhã. Geralmente como as sobras das crianças ou bebo um copo de suco verde com aipo, pepino, meia maçã verde ou vermelha, cúrcuma, gengibre, suco de limão-siciliano e às vezes couve e beterraba, ou uma torrada com abacate. Benny e Vivi pegam as mochilas, fecham o zíper dos casacos e calçam os sapatos. Então saímos.

O trajeto de carro até a escola é um dos meus momentos preferidos do dia. Somos só nós três, as crianças no banco de trás e eu ao volante. Adoramos cantar no carro, embora o Benny leve o momento muito a sério e não goste quando a Vivi canta ao mesmo tempo, então, quando ele está soltando a voz, ela interpreta a parte do DJ. No trajeto de volta, ouço um podcast ou um audiolivro, ou às vezes a previsão astrológica do dia.

Se não consegui malhar mais cedo, faço isso quando volto para casa, depois de deixar as crianças na escola. Em seguida, tomo um banho rápido, e então estou realmente pronta para começar o dia.

Geralmente não uso maquiagem quando trabalho de casa, mas, se saio, gosto de passar pelo menos hidratante labial, uma camada de rímel e um pouco de corretivo, e na minha bolsa sempre tem corretivo e hidratante labial com cor. Eu gosto de usar maquiagem de vez em quando, é uma ferramenta fantástica. Se não tive uma boa noite de sono, ou estou com olheiras ou uma espinha no rosto, ou ainda se quero destacar meus olhos, corretivo e rímel são meus melhores amigos. Maquiagem é algo divertido. É o único jeito de fazer com que meus olhos pareçam maiores, ou pelo menos não tão pequenos. É por isso que, se tenho de ir a algum evento, sempre uso maquiagem.

Mas não penso na maquiagem como uma *obrigação*. Acredito que ter uma boa aparência e uma pele bonita tem mais a ver com o que você come, com seu estilo de vida e com o modo como se sente. (Ir a um bom dermatologista também pode ajudar.) Realmente acho que fico com a minha melhor aparência quando me alimento de maneira saudável, faço exercícios diariamente, bebo muito líquido e descanso a quantidade de tempo que meu corpo e minha mente necessitam. Nosso interior se reflete no exterior, e vice-versa. Se mantivermos um ambiente interno saudável, ele vai se revelar na nossa pele — e, para mim, nada pode ser mais naturalmente bonito do que isso.

Mas voltemos ao meu dia. Após a rotina das primeiras horas da manhã, eu me sinto energizada, minha mente está clara e estou pronta para me sentar diante do laptop e me concentrar inteiramente em ser produtiva. Tenho um espaço separado a uma pequena distância da nossa casa, do outro lado do gramado. Eu o chamo de Santuário. Adoro o lugar. É *clean* e silencioso, com poucos itens de decoração, plantas, cristais, pé-direito alto e muita luz. Passo a maior parte do dia lá, respondendo a e-mails, atendendo ligações e participando de reuniões. Muitas vezes, pela manhã, fico em contato direto com minha irmã gêmea, Pati, e com a Fafi, falando de negócios, avaliando novas oportunidades, aprovando materiais para clientes, respondendo entrevistas ou trabalhando em projetos ambientais.

Hoje, a maioria das empresas com que trabalho fica no Brasil, e expresso consistentemente a elas minhas preocupações com o meio ambiente e com a necessidade de criar produtos e práticas sustentáveis para o planeta. Algumas empresas são definitivamente mais conscientes do que outras com relação à sustentabilidade e estão implementando mudanças para garantir que suas cadeias de suprimentos fiquem cada vez mais limpas, evitando danos à natureza. Espero que no futuro o cuidado com o meio ambiente se torne prioridade para empresas de todos os setores.

Embora trabalhe na minha área há muitos anos, só recentemente descobri que a indústria da moda, principalmente o setor de *fast fashion* — a "moda rápida" —, é uma das que mais poluem o planeta, e que a maioria das roupas acaba em aterros sanitários. Hoje uso minha voz e meus contatos para atrair atenção para esse problema e desenvolver soluções que tornem o negócio da moda mais sustentável.

Há quase dez anos também atuo como Embaixadora da Boa Vontade do Programa das Nações Unidas para o Meio Ambiente, a fim de ajudar a atrair atenção para questões socioambientais. Essa oportunidade tem sido uma experiência de aprendizado incrível. Estive em vários países e conheci muitas pessoas inspiradoras que estão desenvolvendo soluções inovadoras para os problemas de suas comunidades.

Adoro aprender e compartilhar experiências e conhecimento com as pessoas que vou encontrando pelo caminho. Procuro me conectar com especialistas e pessoas afins que tenham o mesmo desejo de fazer sua parte para tornar o mundo um lugar melhor, como meus amigos e colaboradores do Believe.Earth, projeto que alguns amigos no Brasil e eu lançamos para trazer mais consciência quanto à preservação do planeta. Parte da nossa missão é compartilhar histórias inspiradoras de pessoas comuns que fazem a diferença na vida de suas comunidades, com a intenção de influenciar mais pessoas a trabalharem pelo bem maior.

Meus dias são muito cheios — mas nunca longos o suficiente. Queria de verdade que cada dia pudesse durar 48 horas!

Quase sempre tenho diversos projetos em andamento ao mesmo tempo. Durante o dia, deixo o celular em modo silencioso. É claro que o verifico regularmente, para saber se Tom ou alguém da escola das crianças ligou, mas quem me conhece sabe que não amo falar ao telefone. Prefiro ver as pessoas de perto, cara a cara. Quando estou viajando, converso com o Tom e as crianças pelo FaceTime todos os dias, mas, se estou em casa, me recuso a ser escrava do meu celular. Durante as refeições, uma regra fundamental da nossa família é: nada de aparelhos eletrônicos à mesa!

Normalmente saio do Santuário e volto para casa ao meio-dia para almoçar — quase sempre uma salada fresca ou uma sopa. Essa também é a hora em que lido com as questões que possam ter surgido durante a manhã com as crianças, com coisas da casa e por aí vai. Uma hora depois estou de volta ao Santuário, onde fico trabalhando até o fim da tarde.

Bebo água o dia inteiro, além de muito chá. Meus favoritos são de capim-limão, camomila e hortelã, de preferência preparados com folhas frescas colhidas na minha pequena horta. Mas tudo depende de como estou me sentindo. Se estou ficando resfriada, por exemplo, bebo chá de erva-doce, ou preparo uma infusão de limão, mel e gengibre. Em geral, porém, bebo chá puro, sem mel nem açúcar.

No fim da tarde, Renata, nossa babá, já buscou o Benny e a Vivi na escola, e daí em diante tudo se resume à minha família. Faço questão de conversar com a Rê na frente das crianças, para que saibam que falamos delas — e para ensiná-las a não me tratar de um jeito e a ela de outro. Às vezes preparo um banho de banheira para os dois, mas quase sempre eles tomam um banho rápido de chuveiro, e então é hora do jantar, com o Benny e a Vivi geralmente ajudando a pôr a mesa.

Durante a temporada de futebol americano, Tom chega por volta das seis da tarde, a menos que esteja jogando em outra cidade, e nossos jantares duram cerca de uma hora. Sempre pergunto sobre o dia dele, mas geralmente a conversa gira em torno das crianças. Depois do jantar,

As crianças vendo o papai jogar, em Foxborough, em 2017.

normalmente conversamos pelo FaceTime com Jack, meu enteado, que acompanho desde os primeiros momentos de vida e que chamo de meu filho bônus, para ver como ele está e lhe dar boa-noite. (Quando Jack está na nossa casa, leva muito a sério o papel de irmão mais velho. O Benny sempre quer fazer todo mundo rir. A Vivi é quem ri mais alto, e é evidente que adora os irmãos. Ela é a maior animadora de torcida deles, e quer se sentir parte da turma.) Então as crianças vão correndo assistir a desenhos animados em português na TV, o que dá a mim e ao Tom um tempo sozinhos para conversar sobre o nosso dia, geralmente bebendo mais uma xícara de chá de camomila.

Tanto o Benny quanto a Vivi falam português fluentemente. Ele tem um leve sotaque, já ela parece ter nascido no Brasil. Jack entende o idioma cada vez mais, e eu adoro quando ele tenta falar, porque tem um sotaque muito fofo. Quando eu era pequena, meus pais só falavam em alemão um com o outro, mas nunca com a gente, pois queriam manter os assuntos entre eles. (Hoje, depois de anos viajando, me tornei razoavelmente fluente em quatro idiomas.)

O Benny e a Vivi podem ser americanos nascidos em Boston, mas também são brasileiros. Meus pais não falam inglês muito bem, e minhas sobrinhas e uma das minhas irmãs não falam nada do idioma, mas é importante para mim que os meus filhos falem português e consigam se comunicar com a minha família. Assim, todo verão, levo o Benny e a Vivi para passar duas semanas de férias com a minha família inteira, quando só falamos português. Gosto de pensar que estou educando meus filhos para serem cidadãos do mundo. Acredito também que, quanto mais conversarmos com as pessoas no idioma delas, mais compreendemos uns aos outros.

Quando penso no meu cronograma diário, percebo que quase todos os momentos do dia parecem um ritual, e eu conscientemente desejo criar uma série de pequenos momentos especiais. Depende de nós capturar o tempo, dar-lhe sentido, estar presentes e ser gratos por todo minuto em que estamos vivos. É por isso que dar grande importância aos pequenos momentos significa muito para mim. Alongar o corpo assim que acordo. Prestar atenção à minha respiração. Acender uma vela. Meditar. Cantar com meus filhos a caminho da escola. Mais que tudo, esses momentos têm a ver com apreciação, com gratidão. Meu objetivo é *estar presente*. Sentir e viver a vida profundamente, mesmo quando o que estou sentindo é intenso e toma conta de mim, ou às vezes me faz cair no choro (o que acontece de vez em quando). Viver uma vida plena e significativa, com consciência do que está acontecendo ao meu redor — e inspirar meus filhos a viverem assim também.

A hora de ir para a cama é outro ritual. Quando o Tom está em casa, dá um beijo de boa-noite nas crianças e às vezes lhes conta uma história. Na hora de dormir, adoro ler em voz alta para eles. Depois faço algo que tenho feito desde que o Benny e a Vivi eram bebês: uma massagem rápida em seus pés com óleos de aromaterapia; tenho uma farmácia inteira deles. Cinco minutos de massagem nos pés realmente os acalma e nos aproxima ainda mais.

A última coisa que faço antes de dizer "boa noite" é lembrar a eles de rezar para o anjinho da guarda. Quase sempre fico do lado de fora do quarto ouvindo os dois rezarem, e isso faz meu coração derreter todas as vezes.

Normalmente pego no sono depois do Tom. Durante a temporada de futebol americano, ele gosta de estar na cama às nove da noite. Após escovar os dentes e ler algumas páginas de um livro, dou uma olhada no celular para ver se há alguma coisa urgente, coloco o aparelho em modo avião e ativo o despertador.

Esse é o meu dia. Ele varia quando estou no Brasil, ou em Nova York, ou na Costa Oeste dos Estados Unidos, ou até mesmo às vezes quando estou em casa, em Boston. Se estou em outra cidade para uma sessão de fotos, sigo uma variação dessa mesma rotina. Levanto-me às seis, medito e malho, mesmo que seja por apenas vinte minutos, porque sei que ao longo do dia vou me sentir menos motivada para malhar e, depois de um longo dia de trabalho no estúdio, sei que não vai rolar. Se eu estiver fazendo um comercial para a TV, o dia pode se estender por até 12 horas. Quando o trabalho é para uma revista, a sessão dura entre oito e dez horas. Como mencionei, raramente olho o celular quando estou trabalhando, mas, tão logo tenha terminado, converso com Tom e as crianças via FaceTime para tentar matar a saudade. Antes de ir para a cama, gosto de tomar um bom banho, especialmente se foram usados vários produtos no meu cabelo e ele está aquela bagunça. Geralmente já estou debaixo das cobertas antes das dez da noite. Preciso de pelo menos sete horas de sono; oito, se possível. Felizmente, nunca tive dificuldade para dormir. Sempre estou exausta à noite e, assim que coloco a cabeça no travesseiro, apago.

Estabelecer uma rotina me ajuda a organizar e encaixar as atividades que acho importantes e quero realizar. No entanto, para que ela funcione, é essencial ter disciplina. Acordar cedo, me exercitar, manter uma alimentação saudável, meditar, tudo isso são escolhas que faço para ter uma vida melhor, mas só com disciplina isso se torna possível. Só com disciplina consigo obter resultados.

As pessoas geralmente contam a si mesmas histórias para explicar quem são e como chegaram até ali. Uma das minhas histórias é que desenvolvi minha ética profissional por ter compartilhado uma casa pequena com cinco irmãs e ter visto meus pais trabalharem muito duro. Outra tem a ver com ser uma das filhas do meio (e com uma irmã gêmea, para completar), que nunca se sentiu tão especial assim e nunca quis desapontar os pais, o que se transformou num desejo de não desapontar *a si mesma*.

Há um fundo de verdade em ambas essas histórias, mas sei também que ser disciplinada, e ser *intensa* quanto a essa disciplina, é simplesmente quem eu sou. Acho que nasci assim. Mesmo tendo crescido como uma de seis irmãs, com pais que trabalhavam fora, e tendo me esforçado para ir bem na escola e nos esportes, tudo isso era apenas a arena onde eu pude testar e desenvolver um traço que já existia em mim. Joseph Campbell escreveu certa vez: "Você amadurece quando se torna a autoridade da sua própria vida." No meu caso, seja lá por que motivo, assumi essa autoridade desde bem jovem. Quando conto às pessoas que nunca quis decepcionar meus pais, isso era verdade — e ainda é —, mas o que realmente estou dizendo é que nunca quis ficar aquém das *minhas próprias* expectativas.

Se disciplina não é algo que vem fácil, qual é o melhor modo de criá-la? Tudo começa com autoconhecimento, e ter consciência de si é um processo. Não é algo que nasce com a gente, mas que se desenvolve com o tempo. Só sei o seguinte: quanto mais você se conhece e sabe no que é bom e o que lhe traz alegria, mais fácil é manter o foco no que quer exteriorizar — o que, por sua vez, torna mais fácil externar o que deseja. O que *você* quer? O que dá certo *com você*? Você funciona melhor a uma determinada hora, ou num determinado tipo de dia, num determinado ambiente? Faz questão de se expor a palavras positivas, imagens positivas, pessoas inspiradoras, ideias inspiradoras? Se, por exemplo, você passa o dia no celular, lendo notícias negativas e ficando com medo, com o nível de ansiedade lá em cima, ou se traça metas não realistas para si, acredito que esteja se colocando no caminho da decepção e da tristeza. Se digo a mim mesma que vou meditar por meia hora de manhã, mas todos os dias sou interrompida, o problema não são meus filhos pedindo o café da manhã ou os cachorros querendo sair; sou *eu* não sendo realista sobre o que está acontecendo ao meu redor!

Penso na disciplina como a voz de um pai ou de uma mãe, ou de qualquer figura de autoridade, dentro de nós. Ela nos mantém responsáveis por nossas ações. Mas, se essa voz não é forte o suficiente dentro de você, considere criar um pai ou uma mãe *do lado de fora*. Encontre outro modo de acompanhar seu progresso, de se manter responsável. Isso é algo que tenho feito com meus filhos. Vivi e Benny são novinhos e ainda têm muito a aprender. (E quem não tem? Sei que eu tenho.) Para ajudá-los a organizar sua rotina e atribuir tarefas e responsabilidades a cada um, a solução que criamos foi usar um quadro branco.

O quadro fica pendurado na nossa cozinha. Ele substituiu um anterior que tinha ímãs em formato de estrelinhas, mas, quando a Vivi começou a burlar o sistema e a cobrir a parte dela do quadro com quantas estrelinhas coubessem, encontramos um mais simples, com um canetão preto e apagador. O uso do quadro surgiu numa fase breve em que o Benny começou a me retrucar. Sempre que eu lhe pedia que fizesse qualquer coisa, ele falava que eu não sabia de nada e que, mesmo se soubesse, estava errada. Então o Tom e eu resolvemos encarar a situação com firmeza. Falei para o Benny que tudo bem se ele ficasse brabo ou frustrado com as regras que havíamos criado, mas ele não podia me tratar com falta de respeito. Se estivesse brabo, com raiva, que me falasse. Benny admitiu que nem sempre era legal comigo e me pediu desculpa. E então deu a ideia do quadro branco.

Funciona assim: quando percebemos que as crianças precisam de mais estrutura, fazemos algumas perguntas a elas durante o jantar. Como têm se comportado? Disseram "por favor" e "obrigado"? Olharam nos olhos dos amigos e dos professores ao conversar com eles? Foram gentis com os amigos e um com o outro? Se receberam a visita de um amigo em casa naquele dia, arrumaram os quartos e guardaram os brinquedos ao fim da brincadeira? Depois das refeições, levaram os pratos até a pia? Quando pedi que fizessem alguma coisa, eles fizeram? Se a resposta para a pergunta for *sim*, a criança ganha uma estrela.

As estrelas podem ser dadas, mas também podem ser negadas. Se o Benny, digamos, beliscou a irmã, ou a Vivi se esqueceu de ser uma boa anfitriã ao receber uma amiga, eles não ganham a estrela. Em vez disso, conversamos sobre as atitudes nas quais devem se empenhar mais, como ser um melhor ouvinte ou ter mais paciência. Deixamos uma lista de expectativas no quadro, para que eles entendam que tudo é um trabalho em andamento. O esquema das estrelas realmente tem ajudado. O melhor de tudo é que as crianças estão ficando cada vez mais à vontade com suas emoções e com quem são como indivíduos. Por exemplo, o Benny nos conta que comeu um biscoito antes do jantar e que está com medo de que eu fique braba. Sim, ele pode perder uma estrela, mas, em vez de dar bronca, eu lhe agradeço por ter sido honesto, o que o incentiva a continuar sendo honesto. O que mais importa para mim é que ajudamos a criar um ambiente onde nossos filhos se sentem seguros para expressar seus sentimentos e ter conversas sérias, e eles sabem que o pai deles e eu estamos caminhando com eles, lado a lado, e não os carregando no colo. Sempre lembro aos meus filhos que estamos todos aprendendo juntos. Tenho 38 anos, nunca fui mãe antes! Por mais que seja meu dever ensinar, *eu* também aprendo com eles. Então em que *eu* poderia melhorar?

Nós tentamos dar aos nossos filhos o que recebemos dos nossos pais na infância. Se tivermos sorte, conseguiremos preencher algumas lacunas que, por uma ou outra razão, foram deixadas em branco para nós. Quando eu era pequena em Horizontina, havia seis de nós à mesa de jantar, seis vozes se erguendo para conversar, rir ou discordar, todas ao mesmo tempo. Um dia meu pai criou uma regra: se uma de nós tinha algo a dizer, precisava levantar a mão e esperar sua vez de falar. Com todas aquelas crianças, minha mãe não tinha tempo de ler para nós antes de dormirmos. Ela mal tinha um segundo para si. Às vezes eu me levantava no meio da noite e a encontrava à mesa da cozinha, ainda trabalhando, uma calculadora com rolos de papel saindo aos montes na frente dela, tentando fechar as contas. Raque, Fofa, Pati, Gabi, Fafi e eu tivemos de descobrir muitas coisas sozinhas. De certa forma, éramos crianças criando outras crianças. Tínhamos de aprender a negociar, a chegar a um acordo, a brigar de forma justa. Mas nunca, nenhuma vez, durante a minha infância senti que estava perdendo algo ou que me faltava alguma coisa. Como poderia perder ou sentir falta do que nem sabia que existia? Sentia, e ainda sinto, que tive a melhor infância do mundo! Sou eternamente grata aos meus pais.

Sei que minhas circunstâncias hoje são diferentes daquelas enfrentadas pelos meus pais. O trabalho que comecei aos 14 anos, e que exerci pelos

23 anos seguintes, me permitiu ter mais tempo para os meus filhos. Posso ler para eles, fazer massagem em seus pezinhos, ensiná-los a respirar e a expressar seus sentimentos e lidar com eles. E valorizo cada momento em que posso estar ao lado deles.

Em 2017, fui convidada para fazer o discurso de abertura do Rock in Rio — um dos maiores festivais de música do mundo — diante de um público de 100 mil pessoas. Nesses anos todos, artistas como Beyoncé, Prince, Rihanna, George Michael, REM, Red Hot Chili Peppers, Dave Matthews Band, Coldplay e U2 se apresentaram no festival. O convite veio na mesma época em que o presidente Michel Temer anunciou que o governo havia extinguido o status de reserva natural de uma área enorme e muito importante da Amazônia (a Renca) para abrir a região a mineradoras. Nove reservas ambientais e indígenas seriam gravemente afetadas. Venho trabalhando com proteção ao meio ambiente desde 2004, quando visitei a Amazônia pela primeira vez e vi de perto como as tribos indígenas, principalmente crianças e idosos, estavam sendo envenenadas e até morrendo por causa dos agrotóxicos e do mercúrio que poluíam o rio onde elas se banhavam e pescavam. Senti uma dor no coração. E, apesar de essas toxinas afetarem diretamente suas vidas, a verdade é que a contaminação da água e do solo afeta a todos nós. Acredito que qualquer ataque à natureza é um ataque a todas as formas de vida. Como mãe e provedora, meu instinto natural é proteger. Assim, minha reação ao decreto do presidente foi de indignação, seguida pelo pensamento: *Eu preciso fazer alguma coisa. Não podemos deixar isso acontecer.* Eu e um grupo protestamos nas redes sociais, e felizmente o governo brasileiro revogou o decreto e adiou a decisão, sujeita a extenso debate.

Quando Marcos, meu amigo e um dos cofundadores do Believe.Earth, que conhecia Roberto Medina, criador do Rock in Rio, me convidou para abrir o festival, eu aceitei. Mas desliguei o telefone apavorada. Eu nunca tinha feito um discurso para 100 mil pessoas. Nunca tinha *escrito* um discurso tão importante quanto esse. Minutos depois, me dei conta de uma coisa dentro de mim. Determinação. *Disciplina.* Se algo estava me deixando com medo, eu sabia que cabia a mim, e somente a mim, trabalhar esse medo. Se queria ter sucesso nessa missão, teria de trabalhar para isso. Uma grande parte de mim preferia ficar recolhida na segurança do meu lar. Considerando que o público estava indo ao Rock in Rio para ouvir música — Ivete Sangalo, Maroon 5, The Who e Guns N' Roses se apresentaram naquele ano —, eu também tinha medo de que eles talvez ficassem aborrecidos quando eu entrasse no palco para fazer o discurso. *E se eles não prestarem atenção em mim?*, pensei. *Ou se me vaiarem, ou gritarem comigo, ou atirarem coisas em mim? Não importa*, foi meu pensamento seguinte. *Tire isso da cabeça. Apenas faça o que tem de ser feito. Se você não lutar por aquilo que acha importante, você estará sendo cúmplice.*

Não importava que eu nunca tivesse escrito um discurso como esse na vida. Não importava quanto tempo teria de ficar sentada diante do laptop até que as palavras saíssem. Não importava o medo que estava sentindo, ou que pudesse parecer uma tola, ou as centenas de outras razões pelas quais talvez não fosse uma boa ideia me colocar naquela situação. Eu me dei conta de que, agora e para sempre, meu maior propósito era o *amor*. Aquilo não tinha a ver comigo. Eu iria falar em prol de uma causa mais importante que eu. Estava sendo testada, e o teste exigia coragem. Não era a primeira vez que eu apareceria diante de um público daquele tamanho. Tinha desfilado na maior passarela da minha vida (mais de 120 metros), na cerimônia de abertura das Olimpíadas do Rio em 2016, diante de milhares de pessoas ali presentes e mais centenas de milhões vendo pela televisão, uma experiência que também me deixou apavorada

— antes de realizá-la. Naquela noite, lembro-me de ter me sentido como uma partícula de luz sendo conduzida pela energia da multidão. Mas o Rock in Rio seria diferente. Nas Olimpíadas, eu podia sentir o público, mas o estádio estava tão escuro que não conseguia enxergar ninguém. Além disso, dessa vez, em vez de desfilar, eu teria de falar. Sabia que o Rock in Rio não seria fácil para mim, mesmo já tendo estado diante de um grande público. Porque, vamos combinar, discursar é uma responsabilidade muito maior que caminhar!

Mas, se eu não tivesse concluído aquela caminhada, não teria como discursar agora. Lembrar disso me ajudou a fortalecer minha confiança. Eu acredito que, quando você enfrenta um desafio, deve se erguer à altura dele. Então o desafio seguinte é um pouco mais difícil, mas aí você se ergue à altura *desse outro.* Não é assim que a gente cresce? Quando cheguei ao fim da redação do meu discurso, escrevi: "Se somos todos capazes de sonhar... se somos todos capazes de imaginar... somos todos capazes de criar. Então, imagine o mundo em que você quer viver." Eu queria encerrar com uma música, já que, afinal de contas, estava num festival de rock. Mas que música? Minha irmã Fafi, que estava sentada ao meu lado, disse: "Que tal 'Imagine', do John Lennon? Não acha que tem tudo a ver com o tipo de mensagem que você vem escrevendo e que quer passar para as pessoas?" Naquele exato instante eu soube que "Imagine" seria a música perfeita para concluir meu discurso. Além disso, não seria incrível se a Ivete Sangalo, não apenas uma grande artista, mas também uma amiga querida, uma mulher maravilhosa e um ser humano lindo, pudesse começar a cantar assim que eu terminasse de falar? Quando soube que a Ivete iria se apresentar logo depois de mim, como um dos destaques do festival, liguei para ela e falei que precisava de ajuda. "Tô contigo!", disse Ivete. Fiquei muito empolgada! Tudo estava se encaixando.

Na noite do festival, eu não cabia em mim de tanta emoção. Antes de entrar no palco, a produtora encarregada do evento tentou me ajudar.

Ela me disse: "Não se preocupe, até o Bono e o Coldplay ficam nervosos quando tocam aqui." Engraçado, mas ouvir aquilo só me deixou *mais* nervosa. Então fiquei sozinha por um instante. Fechei os olhos. Respirei fundo e reservei um tempo para focar na minha intenção. Pedi a Deus: *Por favor, permita ao público sentir o que estou sentindo. Deixe que sintam o meu coração.* Queria me conectar com aquelas pessoas. Queria que sentissem que estamos todos conectados, que somos um. Isso me deu uma descarga de adrenalina, uma força e a confiança que eu precisava para seguir em frente. Então lá fui eu para o grande palco.

Falei por alguns minutos. Não falei da Amazônia, nem de mineração, nem de quaisquer outros problemas que o país vinha enfrentando. Quer dizer, não diretamente. Em vez disso, falei sobre o poder do coletivo, e sobre esperança, e sobre permanecermos unidos. Num dado momento, a emoção tomou conta de mim e comecei a chorar. Então Ivete apareceu. Ela me deu um abraço apertado e começou a cantar. Pediu que eu cantasse junto, e, embora eu não tivesse planejado aquilo — ficaria tão envergonhada —, quando chegou a hora, não pude evitar. Cantei mais no estilo karaokê do que qualquer outra coisa, principalmente porque o dueto era com uma cantora incrível como a Ivete. E "Imagine" falou o que faltava ser dito.

O que pode preparar uma pessoa para algo dessa magnitude? Não há manual. Não há regras. Você apenas vai lá e faz o seu melhor. Deixa seus medos de lado. Você se convence de que nada vai deter você. Uma noite como aquela não é diferente de nenhuma montanha que você sabe que precisa escalar, então amarra os cadarços das botas e começa a subir. Aprende com a experiência. Quando surge a próxima montanha, você está um pouco melhor, um pouco mais preparado, tem mais prática para caminhar até o topo.

É assim que a disciplina tem me servido durante toda a minha vida. Ela me ajudou não só a realizar o que me propus a fazer, mas também a perceber como posso fazer *mais*. Basta eu ter fé, acreditar em mim e ir em busca do que quero.

Na verdade, às vezes preciso me lembrar de dar uma relaxada na minha própria disciplina, ser mais gentil e ter mais compaixão comigo mesma. Para algumas pessoas, devo parecer um pouco obsessiva, ou motivada demais. Estou trabalhando nisso — e ser mãe me tornou muito mais tolerante comigo mesma. Antes eu era o tipo de pessoa para quem nada estava bom o suficiente. *Eu* não era boa o suficiente.

Em 2015, quando a Taschen publicou um livro para celebrar meus 20 anos de carreira no mundo da moda, lembro que Giovanni Bianco, meu amigo e diretor de arte do livro, me perguntou: "Gisele, quando é que você tinha tempo para ir ao banheiro? É tão óbvio que durante anos você não teve vida!"

Ele estava certo. Lá atrás, eu realmente *não tinha* vida. Somente quando comecei a repassar milhares de fotos para selecionar as cerca de trezentas que fariam parte do livro, foi que tive noção de quanto eu tinha trabalhado. Em vários momentos do dia eu me sinto grata, mas aquelas fotos direcionaram minhas lembranças para outros lugares. Pela primeira vez pude perceber claramente como chegou longe aquela filha gêmea que nasceu em uma cidade pequena no sul do Brasil. Eu me lembrei de todas as pessoas que conheci, de todas as conversas que tive, de tudo o que senti e aprendi, de todos os países que visitei. Pela primeira vez na vida eu me dei um tapinha nas costas. *Você se saiu bem,* pensei. *Você conseguiu. Você fez a travessia. E hoje não está apenas equilibrada, está mais forte, mais experiente e mais confiante.*

Boa menina.

2

Desafios são oportunidades disfarçadas

Sempre fui uma pessoa intuitiva. Depois que saí de casa, costumava ter uma boa noção de como me manter a salvo e fazer boas escolhas. Mesmo assim, como todo mundo, houve momentos na minha vida em que as coisas não iam tão bem. Às vezes acontecia alguma situação simplesmente inaceitável — um conflito ou um confronto —, e aí eu não tinha alternativa a não ser mudar. Nossos relacionamentos nos ajudam a crescer pois refletem o melhor e o pior que há em nós mesmos. Quando penso na minha vida, vejo claramente que os momentos em que mais aprendi e que fiz as mudanças mais positivas também foram as épocas mais difíceis. Foram situações em que fiz péssimas escolhas — mas me pergunto se foram realmente "erros" ou, em vez disso, apenas experiências e oportunidades para aprender. Hoje estou convencida de que cada desafio que enfrentei na vida acabou se revelando, no fim, uma oportunidade disfarçada, que, com o tempo, me levou a um lugar melhor, me tornando mais consciente, e também mais forte.

Inevitavelmente, quando penso numa fase dos meus vinte e poucos anos, eu me lembro de me sentir tão impotente que cheguei a questionar se queria mesmo continuar vivendo.

Um dia comum para mim em Nova York, em 1997 — com meu celular em mãos, prestes a embarcar no metrô para mais um dia de testes.

Era como se eu estivesse numa "rodinha de hamster", e nem sequer me dava conta disso. Tinha 23 anos, era bem-sucedida no que fazia e trabalhava 350 dias por ano. Minha vida consistia em embarcar em aviões e voar para diferentes locações e estúdios ao redor do mundo. Eu raramente desfazia as malas — apenas substituía roupas sujas por limpas, pegava o próximo voo, depois retornava, e dois dias depois fazia a mesma coisa novamente, e de novo três dias mais tarde. Começava minhas manhãs com um Mocha Frappuccino com chantilly, junto com o primeiro cigarro do maço daquele dia. Quanto à alimentação, naquela época eu nem parava para pensar no que botava para dentro. Durante o período de trabalho no Japão, na adolescência, havia criado o hábito de comer depressa e sempre em movimento. À noite, ao chegar ao meu apartamento em Nova York, pendurava o casaco e me servia de uma taça de vinho. Afinal, depois de um dia agitado, ainda me sentia ligada no 220v pelo excesso de café e de nicotina que tinha consumido durante o dia, e precisava de algo a mais que me ajudasse a relaxar. O que poderia ser uma atitude mais natural do que acabar com o resto da garrafa de vinho enquanto lia um livro ou retornava ligações? Eu era uma *workaholic*. Naquela época, vivia o oposto de um estilo de vida saudável.

Estava vivendo a 100 quilômetros por hora, fumando, bebendo, me alimentando mal, dormindo pouco e sempre de mala e cuia na mão, como nós gaúchos dizemos. Era intenso! Vivia em trânsito o tempo todo, fosse indo para algum lugar ou voltando de outro, o que significava que

Tirando fotos para mandar para a minha família enquanto trabalhei por três meses em Tóquio, em 1995.

Com minha irmã Gabi comendo no meu quarto de hotel em Paris ao fim de uma movimentada temporada de desfiles, em outubro de 1999.

não criava raízes nem sentia que pertencia a lugar algum — e não parava um instante sequer para pensar na minha vida. Era só a minha vida. E, como acontece com muitas pessoas em seus vinte e poucos anos, eu me sentia indestrutível.

Além de não me dar conta de que estava numa rodinha de hamster, não entendia que estava basicamente dependendo de estimulantes e calmantes para passar o dia. Café para me acordar de manhã. Cigarros para dar pausas nas longas horas de trabalho e criar um espaço para mim sem ninguém — estilistas, cabelereiros, maquiadores — me tocando. Bife, hambúrguer, batata frita, massa, pizza, doces e qualquer coisa que me desse energia naquele momento. Vinho tinto para relaxar e me ajudar a dormir.

A primeira vez que bebi álcool foi com 19 anos, mas sempre havia champanhe à vontade antes dos desfiles. Pouquíssimos estilistas ofereciam algo de comer às modelos, por isso, sempre que via comida nos bastidores, enchia a bolsa. Depois de um tempo isso se tornou a minha "marca": sair distribuindo o que quer que tivesse conseguido pegar — sanduíches, bolachas, doces — para as outras modelos, a maioria que, como eu, tinha passado o dia correndo de um desfile para o outro, se esquecendo de comer. Como já falei, minha vida naquela época era uma correria só. Durante a temporada de desfiles era normal, para mim, acordar às cinco da manhã e só ir para a cama por volta de uma ou duas da madrugada, já que, depois de terminar o trabalho, como também já mencionei, ainda precisava fazer as provas de roupas para os desfiles do dia seguinte, e então dos desfiles subsequentes. Quando fazia o circuito completo — naquela época Londres, Milão, Paris e Nova York —, era uma maratona que durava o mês inteiro. Invariavelmente, ficava doente perto do fim, mas, por não querer desapontar ninguém, seguia em frente, a ponto de certa vez quase desmaiar no meio da passarela, e de outra vez ficar tão doente que tive de pegar o avião de volta para casa alguns dias antes do fim da temporada.

Olhando para trás, vejo que tinha ficado tão anestesiada que não conseguia enxergar o que estava acontecendo. Eu estava literalmente me matando. Estava envenenando meu corpo do momento em que acordava de manhã até a hora em que apagava à noite. Também estava criando um ambiente propício para desenvolver um distúrbio de ansiedade. Quando se tem 19 anos, talvez seja possível se safar trabalhando 350 dias por ano, mas, quando se chega aos 23, depois de ter vivido pilhada durante anos, bem, seu corpo, sua mente e sua alma começam a desmoronar. Fazia de tudo para lidar da melhor forma possível com as realidades da minha vida. Mas ainda não tinha maturidade para lidar com toda essa pressão.

O que aconteceu me pegou de surpresa, considerando tudo o que já tinha visto até aquele momento na minha área e todas as armadilhas que eu havia conseguido evitar. Quando saí de casa aos 14 anos, obviamente ainda era muito jovem, mas, seja lá por que motivo, eu me sentia madura e capaz de lidar com os desafios de pessoas adultas do meu novo mundo adulto. De alguma maneira, sempre tinha me sentido protegida. E sabia que cada decisão que tomasse me afetaria diretamente. Não podia contar com meus pais. Trabalhava nos quatro cantos do mundo, e minha mãe e meu pai estavam em casa, lá em Horizontina. Agora, como mãe de crianças pequenas, só consigo imaginar a preocupação que meus pais tiveram. Nem sei se eles teriam me deixado ir se soubessem a loucura que o mundo fora da nossa pequena cidade podia ser.

Muitas modelos jovens pareciam estar vivendo num inferno que, na minha opinião, elas mesmas, inconscientemente, estavam contribuindo para criar. Garotas da minha idade enlouquecidas em boates, usando drogas, se embrenhando em lugares sombrios. Eu poderia facilmente ter sido uma delas: mais uma modelo pegando o vale para duas bebidas grátis e a pílula de ecstasy com o cara que ficava na porta da boate. Mas nunca fui assim. Como já disse, alguma coisa ou alguém sempre me protegeu. Pode ter sido a voz da minha mãe que, antes de eu sair de casa,

Minha irmã gêmea, Pati, e eu comemorando nosso aniversário de 21 anos com margaritas de morango num restaurante em New Paltz, Nova York, perto da minha casa de campo em Woodstock.

me disse para nunca, jamais, aceitar nada de estranhos, principalmente bebidas. Em Tóquio, noite após noite, eu via a mesma cena — grupos de garotas indo para boates e se embebedando ou se drogando, e os caras se aproveitando delas. O tempo todo eu me sentia como uma observadora externa, de fora de tudo aquilo, como se estivesse assistindo a tudo através de uma lente ou de uma vitrine. Às vezes, andando até a estação de metrô a caminho do trabalho, cedinho, passando por bandos de passarinhos pretos ciscando o lixo nas calçadas, via garotas voltando das boates, parecendo desorientadas. Não entendia como elas conseguiam viver daquele jeito. Se ficar longe daquele cenário fazia de mim um peixe fora d'água, por mim tudo bem; eu não queria seguir por aquele caminho. Quando a menina que dividia apartamento comigo e eu *íamos* a uma boate, eu pedia um refrigerante enquanto ela paquerava o barman por quem tinha uma queda. Depois eu ia para casa a pé e lia um livro. Ir para a balada, beber, usar drogas e ficar na rua até tarde nunca me pareceram escolhas inteligentes. Eu sabia que me sentiria mal, que pessoas se aproveitariam de mim, e que acabaria ficando fragilizada. Aquilo não era para mim. Além disso, meus pais confiavam em mim. Eles tinham me deixado sair de casa para que eu tivesse uma oportunidade nessa vida de modelo, e não queria fazer nada que os decepcionasse. Queria que eles tivessem orgulho de mim, e também queria ser um bom exemplo para as minhas irmãs.

Gostava de trabalhar como modelo — sou grata por todas as oportunidades que tive de ver o mundo e conhecer pessoas novas e fascinantes. Além disso, adorava poder me transformar o tempo todo. Moda é um negócio tão diversificado. Está sempre mudando e é tão lúdica. Cílios postiços e sutiãs de bojo num dia, roupas de látex e perucas no outro, biquíni fio dental e uma farda no dia seguinte. Era como fazer experimentos com a minha própria identidade: *Quem vou ser hoje?* Meu espírito sem limites era atraído pela moda. Nunca gostei que ninguém me definisse ou dissesse que eu era isso ou aquilo. *Você é modelo. Sente-se. Não diga nada. Sua função é estar bonita, mais nada.* Na minha cabeça, posso ser o que *quiser* ser, e nada disso envolve ficar parada e muda.

As partes difíceis da vida de modelo eram as viagens constantes, as obrigações promocionais que incluíam festas de lançamento, e o fato de que, com exceção da minha cachorrinha Vida, era difícil fazer amigos de verdade. Eu me sentia sozinha às vezes. Quando se atinge certo patamar como modelo, as pessoas nem sempre ficam felizes por você. É um ramo competitivo e cheio de inseguranças. Mais de uma vez chegava a um desfile e descobria que alguém tinha trocado meus sapatos por outros de tamanho muito maior, ou outras vezes meu salto simplesmente do nada quebrava no meio da passarela, me forçando a caminhar na ponta dos pés, ou as tiras da sandália arrebentavam — mas eu sorria e continuava a desfilar da melhor maneira possível, sem dar bola ao que as pessoas faziam para me prejudicar. Os saltos que as modelos usam nas passarelas ou durante as sessões de fotos podiam ter de 15 a vinte centímetros, e andar com eles é um verdadeiro desafio. Aposto que todas as modelos têm algum tipo de problema de coluna. Sei que eu tenho. Além de deslocamentos recorrentes dos ombros — um problema crônico meu —, tenho escoliose e problemas sérios nos joelhos, que pioraram por causa das horas que passei não só caminhando de uma ponta a outra da passarela, fazendo o melhor que podia para manter o equilíbrio em saltos absurdamente altos, mas também por contorcer o corpo durante as intermináveis sessões de fotos, mal conseguindo respirar enquanto mantinha uma posição esquisita após a outra tentando parecer natural. Simplesmente não é normal passar dez horas ou mais seguidas, dia após dia, sobre saltos tão altos, e, menos ainda, pular com eles. Porque eu estava *sempre* pulando durante as sessões de fotos; alguns fotógrafos brincavam comigo e me chamavam de "Sporty Spice"! O motivo era simples: eu tinha muitas ressalvas quanto à minha aparência. Não me achava nem um pouco bonita. A única coisa que sentia que podia fazer, a única coisa que me dava confiança, era *me movimentar*. Se ficasse em movimento numa foto, em plena atividade e criando algum tipo de movimentação ou de energia, teria mais ferramentas para preencher as lacunas da história que o fotógrafo pretendia contar. Mas, na verdade, também era um meio de desviar a atenção do meu rosto.

Não percebi o preço que estava pagando por tudo isso até que meus ataques de pânico começaram. O primeiro aconteceu em 2003. E eles se repetiriam por nove meses.

Tudo começou durante uma viagem num avião pequeno e apertado de seis lugares (incluindo os dois pilotos). Eu estava voando com meus amigos para a Costa Rica. O tempo estava instável naquele dia, e, quando o avião levantou voo, começou a balançar e a sacudir como uma folha ao vento. *Vou morrer*, disse para mim mesma. Viajava de avião o tempo todo e não via nada de mais nisso, só que de repente fiquei totalmente

Andando de bicicleta em Nova York com meu anjinho da guarda, em 2003.

consciente de que não tinha controle algum sobre aquela situação. O medo de estar presa num espaço minúsculo e de não estar no comando, a sensação angustiante de que nada no mundo era seguro ou estável. Mesmo com meus amigos tentando me distrair, sentia que ia desmaiar. Quando aterrissamos, percebi que alguma coisa havia mudado em mim. Nem lembro o que fiz naquele fim de semana. Tudo o que me lembro é do medo de pegar o avião de volta para casa no domingo.

Quando retornei a Nova York, esse novo medo encontrou outras formas de se manifestar. Era como se ele estivesse indo de um lugar a outro, de uma coisa a outra, de um cômodo a outro. De repente, não me sentia à vontade para andar de elevador. Tinha a sensação de falta de ar. Então subia de escada. O mesmo acontecia com túneis: *sem chance*. Tinha recomeçado a viajar a trabalho, mas já não queria entrar nos hotéis onde ia ficar hospedada. Cruzar o lobby sem janelas tornava respirar uma tarefa muito difícil. Não entrava no elevador de jeito nenhum e não queria ficar presa num quarto de hotel, principalmente se as janelas fossem do tipo que não abriam. Não conseguia entrar num estúdio de fotografia se não tivesse janelas. Pegar metrô estava fora de questão. Passei a fazer tudo a pé ou, quando estava em Nova York, a ir de bicicleta ou pegar um táxi. O objetivo era evitar lugares fechados ou me sentir aprisionada. Olhando em retrospecto, é mais provável que eu estivesse tentando superar minha própria ansiedade.

Como as coisas pioraram, marquei uma consulta com um especialista e depois com outro. Ambos eram médicos nova-iorquinos de renome. Saí de um dos consultórios com um aparelho de última geração que monitorava minha respiração. Fui instruída a levá-lo comigo sempre que viajasse de avião, enfiando o dedo nele e inspirando e expirando enquanto uma linha ondulada subia e descia numa tela. Isso evitava que eu hiperventilasse ou suasse frio e também servia para me distrair. Eu levava o aparelho comigo em todos os voos. Mas não senti muita diferença. Os mesmos sintomas surgiam todas as vezes. As mãos começavam a suar, ao que se seguia a familiar sensação de suor brotando na testa. Minha nuca ficava molhada e, depois, meu cabelo. A respiração ficava ofegante. Eu me sentia tonta. Às vezes, quase desmaiava.

Por fim, as coisas chegaram a um ponto crítico. Era um fim de semana, e eu estava no meu apartamento em Nova York. Tinha marcado uma massagem para me ajudar a relaxar, consciente de que meus músculos estavam ficando mais tensos a cada dia. Àquela altura, meus ataques de pânico — era assim que os médicos se referiam a eles — já vinham acontecendo havia quase seis meses. Nessa época, eu morava na West 11th Street com a West Side Highway, com vista para o rio. Meu apartamento ficava no nono andar. Era pequeno, mas arejado e bem-iluminado, com várias janelas e um terraço que contornava metade do apartamento. Só que, de repente, no meio da massagem, simplesmente não consegui mais ficar lá dentro. Não conseguia mais respirar. Dei uma desculpa, me levantei, enrolei a toalha no corpo e saí para o terraço. Fazia uma noite linda. Havia a água e as luzes a distância e todo o ar de que eu precisava, mas ainda assim não conseguia respirar. Parecia que tudo na minha vida ia me matar. Primeiro os aviões, depois os elevadores. Então vieram os túneis, os hotéis, os estúdios de fotografia e os carros. Agora era meu próprio apartamento. Tudo tinha se tornado uma jaula, e eu era o animal preso dentro dela, lutando para respirar. Não conseguia ver uma saída e não podia suportar mais um dia me sentindo daquele jeito. Um pensamento me invadiu: *Quem sabe vai ser mais fácil se eu simplesmente pular. Tudo vai passar. Eu posso me livrar de tudo isso.*

Quando penso naquele momento e naquela garota de 23 anos, sinto vontade de chorar. Ela era tão jovem que quase me parte o coração. Quero dizer para ela que vai ficar tudo bem — que ela é jovem demais para colocar as coisas em perspectiva ou para se conhecer direito, que a vida dela nem começou ainda. Até aquele momento, sempre tinha me visto como uma pessoa feliz, forte, positiva, confiante. Não nasci tendo ataques de pânico. Eu me sentia grata de verdade por cada bênção na minha vida. Por fora, parecia que eu tinha tudo! Tinha assinado o maior contrato da indústria da moda com a Victoria's Secret. Tinha pais e irmãs maravilhosos. Amava meu namorado. Tinha bons amigos em Nova York que eram como uma família. Mas, naquele momento, a única resposta possível parecia ser pular. É apavorante ver como, de repente, o desespero pode tomar conta do cérebro e se apropriar dele, assim, sem mais nem menos.

Não sei como consegui voltar para dentro do apartamento. A ideia de pular foi substituída por outro pensamento, um pouco estremecido, mas firme: *Ok, Gise, chega. Agora escute.*

Ouça a si mesma.

Sabendo que estava com um problema muito maior agora, fui ao médico no primeiro horário no dia seguinte e contei o que tinha acontecido. Depois de me questionar para ter certeza de que eu não estava mais pensando em suicídio, a solução dele foi me receitar um medicamento tranquilizante para ansiedade. Ele me deu um comprimido de amostra para ajudar a me acalmar e uma receita para que eu fosse à farmácia e comprasse uma caixa do remédio. Eu me lembro de olhar fixamente para o comprimido na mão dele. Mesmo me sentindo indefesa, pensei: *Não quero ficar dependente de remédios. Não quero depender de nada que esteja fora de mim mesma*. Só de pensar naquilo fiquei *mais* ansiosa. *E se eu perder o comprimido? Como fica?*

Algo dentro de mim sabia, de alguma forma, que eu não podia simplesmente colocar um Band-Aid no que havia de errado comigo. Não tenho nada contra remédios, mas, quando ele me ofereceu aquele comprimido, cada célula do meu corpo reagiu em protesto. Pensei na minha mãe. Ela sempre buscava alternativas naturais para curar todo e qualquer problema de saúde que minhas irmãs e eu tínhamos quando pequenas. Ela preparava chás para nossas dores de garganta e resfriados e colocava panos úmidos na nossa testa e no nosso pescoço quando alguma de nós tinha febre. E os métodos dela sempre deram certo — então, que tipo de chá eu poderia preparar para isso? Eu tinha visto pessoas que começaram com apenas um comprimido e, com o tempo, passaram a tomar muitos outros. Estava com medo e não queria seguir por aquele caminho. Sabia que tinha de haver outro jeito. Eu tinha que descobrir qual era, já que, no fim das contas, sempre fui o tipo de pessoa que queria vencer os meus medos.

Precisava tomar uma decisão, mas também estava claro que não podia continuar sofrendo de ansiedade o tempo todo. De alguma forma, embora não soubesse como, eu sabia que tinha de encontrar outro jeito. Quando saí do consultório, joguei o remédio no lixo. Algumas coisas você simplesmente sabe que são verdade para você — ou seu corpo fala. Não sei *como* o corpo sabe dessas coisas, mas ele sabe. Digo isso por mim mesma, reconheço que somos todos diferentes, com necessidades diferentes. No meu caso, sabia que precisava confiar na minha intuição e lidar com a minha ansiedade do jeito que me deixava mais confortável. Sigo ouvindo minha voz interior e sempre incentivo as pessoas a ouvirem a própria.

Então rezei. Rezei pedindo clareza e orientação sobre o que deveria fazer. Pedi que me fosse mostrado o caminho. Fiz o que sempre faço quando rezo — pergunto a mesma coisa várias vezes até surgir uma resposta. Naquela noite, recebi a resposta: *ioga*. Naquele momento, eu não estava em busca de *uma coisa específica. Ainda não sabia como iria sair dessa*. Como disse, tudo o que pedi foi que me fosse mostrado o caminho.

Ioga. De onde veio isso? Eu não sabia explicar. Até hoje não sei. Eu tinha algum conhecimento de ioga. Anos antes, tinha lido o livro *Autobiografia de um iogue*, de Yogananda, então ioga não era um conceito estranho para mim. É preciso ter em mente que isso foi antes de a prática se tornar tão popular quanto é hoje. Ainda assim, eu não possuía ligação alguma com aquele mundo. Como aquilo poderia me ajudar? Provavelmente devo ter associado ioga com paz, tranquilidade ou equilíbrio, algo assim. Então, na manhã seguinte, comecei a procurar um instrutor. Também acessei a internet e comecei a ler tudo que podia sobre ioga. Não apenas sobre as posturas, mas também sobre a filosofia por trás dela. Descobri que ioga era muito mais do que movimentos físicos. É uma filosofia, uma disciplina espiritual focada em ajudar a pessoa a se conhecer melhor. A palavra ioga vem do sânscrito *yuj*, que significa atrelar ou unir. Talvez ela pudesse me ajudar a unir meu corpo à minha mente? Talvez pudesse me ajudar com os ataques de pânico? Li mais sobre as técnicas de respiração — principalmente o pranayama — e sobre meditação. Naquela época, *meditação*, assim como ioga, era apenas uma palavra popular. Nunca tinha meditado na vida. Quem tinha tempo? Era ocupada demais. Mesmo se eu tivesse tempo, por que me dar ao trabalho?

Quando conheci Amy, que se tornou minha instrutora, senti que ela emanava uma forte aura de serenidade e confiança assim que entrou no meu apartamento. Primeiro, nós mudamos alguns móveis de lugar, e então ela se sentou no chão, sobre um tapete de ioga. Eu disse a Amy que estava tendo falta de ar e que tinha medo de entrar no elevador do meu próprio prédio, por isso subia nove andares de escada, e que estava com muito medo de morrer. Amy começou a me falar da respiração pranayama. Ela pediu que eu pressionasse a ponta de um dedo no meio da testa e usasse o polegar para fechar a narina direita. "Inspire", disse ela. "Agora expire pela narina esquerda. Agora faça o mesmo com a narina esquerda. Inspire. Agora expire pela direita." Ela explicou que o objetivo de respirar alternando as narinas, como se sabe, é equilibrar os lados esquerdo e direito do cérebro, o que ajuda a relaxar e a deixar a pessoa mais centrada. Então me mostrou algumas posturas de ioga.

Mesmo depois de um único encontro com Amy, pude notar alguma diferença. Já não me sentia tão tensa quanto antes. Não foi uma cura milagrosa — ainda estava muito mal e tinha um longo caminho pela frente —, mas Amy e eu marcamos mais um encontro na manhã seguinte, e depois na próxima e então na outra. Não posso atribuir à ioga todo o crédito das mudanças que aconteceram na minha vida, mas ela me ajudou muito. E ainda hoje é fundamental na minha vida.

Como disse anteriormente, sempre gostei de mergulhar fundo nos assuntos que me interessam, e quanto mais aprendia sobre ioga, mais a respiração pranayama parecia ser importante para a minha cura. *Prana* é a força vital do Universo. É o que distingue os vivos dos mortos. Pode ser encontrada em alimentos de boa qualidade, na respiração correta e no pensamento positivo. A respiração pranayama significa simplesmente usar a força vital do Universo por meio da respiração, o que com o tempo ajuda a trazer equilíbrio e harmonia ao corpo, à mente e ao espírito, ou pelo menos esse é o objetivo.

Muitas pessoas no Ocidente pensam na ioga como algo físico — uma forma de exercício baseada em asanas e posturas. Na verdade, todo o propósito por trás da prática de asanas é alongar e abrir o corpo para prepará-lo para a meditação. Com Amy como professora, comecei a treinar hatha ioga, a prática de posturas físicas, embora ao longo dos anos também tenha experimentado ashtanga, kundalini e outros tipos de ioga. Adoro todas elas, mas sempre volto para a hatha ioga porque foi onde comecei, e é tão serena que consigo entrar em estado de meditação enquanto pratico. Além disso, uma prática suave funciona melhor para mim, já que faço tudo mais na minha vida com intensidade.

Mas estou botando a carroça na frente dos bois. Com Amy me guiando, comecei a fazer a respiração alternando as narinas todas as manhãs ao nascer do sol. Com o tempo ficou mais fácil. A meditação ajuda a cultivar a sensação de estar presente no momento. O presente é uma dádiva, e, para mim, sentir essa presença era o presente mais maravilhoso que poderia ter recebido.

Às vezes as pessoas me perguntam que papel a ioga desempenha na minha vida hoje. A resposta simples é: para mim, a ioga, como a meditação, me ajuda a permanecer presente. É como estar constantemente no papel de observadora de mim mesma, atenta a cada sentimento. Quando desembarco de um voo longo, posso fazer algumas posturas simples de saudação ao sol ou uma sequência para a abertura dos quadris. Quando estou na Costa Rica e tenho a manhã livre, gosto de fazer ioga com a minha amiga Cris. Simplesmente adoro a troca de energia que acontece quando se pratica junto com alguém. Quando estou no carro e outra pessoa está dirigindo, faço a respiração pranayama no banco de trás a caminho do estúdio fotográfico, ou ouço os cânticos de cantores devocionais como Snatam Kaur ou Krishna Das, que ouvi durante a gravidez e o parto dos meus filhos. A ioga pode ser útil de muitas maneiras. Seja envolvendo música, mantras, respiração, posturas ou meditação, é uma prática espiritual linda e poderosa. A ioga me devolveu a vida.

Ela também me motivou a começar a olhar para dentro. Pela primeira vez, decidi observar atentamente minha vida, examinar o que realmente estava acontecendo comigo e que papel eu estava desempenhando. Como tinha chegado àquele ponto? Por que, com tantas coisas boas acontecendo em minha vida, pelo menos superficialmente, havia tantas outras dando errado? Ao longo dos anos, passei a acreditar na importância das atitudes positivas. Acredito que a qualidade da nossa vida está diretamente ligada às nossas atitudes. Quando minhas crises de ansiedade começaram, quem me conhecia ficou com pena de mim. Teria sido fácil embarcar naquela forma de pensar: *Por que isso está acontecendo comigo? Tadinha de mim! Por que estou tendo crises de ansiedade? Sou uma pessoa tão boa!* Mas, se fizesse isso, teria me colocado como vítima. E sempre acreditei que, quando você começa a se ver como vítima, abdica do próprio poder, e talvez seja difícil conseguir recuperá-lo. Graças à prática de ioga e meditação, fui capaz de ver as coisas por uma perspectiva diferente. Comecei a me questionar: *Gisele, por que esta situação está acontecendo com você? Há uma oportunidade aqui — o que você pode aprender com isso? Qual é o ensinamento aqui?*

De modo algum quero dizer que, se você está sofrendo de ansiedade ou depressão, não deve procurar ajuda — eu procurei. Hoje sei também que os primeiros anos da juventude são uma etapa particularmente vulnerável da vida. A adolescência é difícil — mas depois que você faz 20 anos, quando ainda está descobrindo quem é, no que é bom, e para onde sua vida está indo, pode ser ainda mais difícil. Jovens — homens e mulheres — podem se ver passando por aflições que nunca tiveram antes, e não entender o porquê. Se for o seu caso, procure ajuda! Isso pode salvar a sua vida. Mas eu não sabia disso na época. Vinha sendo dona do meu nariz desde os 14 anos, e, no que me dizia respeito, só havia uma pessoa que podia me salvar: *eu mesma*. Aprendi que o único jeito de começar essa missão de resgate era mudar o diálogo dentro da minha cabeça.

Quando comecei a me perguntar *Por que isso está acontecendo comigo e o que essa situação está querendo me ensinar?*, houve uma grande mudança no meu modo de pensar. Ao longo dos dias e das semanas seguintes, comecei a ver a mim e à minha vida com maior clareza. À medida que comecei a melhorar, me fiz outra pergunta: *Como vou lidar com esta oportunidade que a vida me deu para aprender sobre mim mesma?*

Mais ou menos na mesma época, me lembro de ter uma sensação muito estranha: estava me afastando de mim mesma e do meu ego, como se fossem duas estruturas tombando lentamente na arrebentação. A vida estava me mostrando algo, e a mensagem não podia ter sido mais clara. Dependia de mim querer "ver" o que a vida estava me mostrando ou voltar para a rodinha de hamster. Parecia que eu estava sendo convocada a rejeitar tudo aquilo que não estava me apoiando ou me fazendo bem para abraçar tudo o que estava.

Por exemplo, eu me convenci de que, se estava tendo falta de ar, poderia ser uma boa ideia parar de fumar. Tinha começado com 17 anos, primeiro com cigarros de cravo, embora logo em seguida já estivesse viciada nos cigarros normais. Fumava até um maço por dia. Sempre que queria me enturmar ou parecer descolada, acendia um. Tentei parar algumas vezes, fiz apostas com amigos, recorri a um acupunturista e li livros que pudessem me ajudar a parar de fumar, tudo sem sucesso. Naquele momento falei para mim mesma que os cigarros tinham de ir embora. Então, parei. Simples assim. Também comecei a correr, meia hora toda manhã, mesmo se estivesse chovendo ou nevando. Em parte, essa estratégia me ajudou a não fumar, mas, principalmente, me estimulou a desenvolver um hábito mais saudável. Nada faz você sentir seus pulmões melhor do que uma boa corrida.

Meu novo foco na respiração me abriu para novos modos de pensar sobre outros hábitos e rotinas, principalmente o hábito de estar sempre "em atividade". Viajando. Perseguindo algo. Atendendo a ligações, respondendo mensagens de texto e e-mails. Trabalhando o dia inteiro e todos os fins de semana. Eu me sentia culpada quando tirava um dia de folga sequer. Dizendo a mim mesma: *Você tem que aproveitar esta oportunidade enquanto ela está aqui. Você pode descansar depois.* No "sistema de crenças" daquela cultura, tudo tem que levar a alguma outra coisa — dinheiro, bens materiais, estar na dianteira do mundo. A ioga, por outro lado, tem mais a ver com *ser* do que com *fazer*. É sobre estar aqui, agora, presente *neste* momento. Com a ioga aprendemos que já somos tudo o que precisamos ser.

Ao longo dos dias que se seguiram, ficou claro para mim a quantidade de coisas na minha vida sobre as quais nunca tinha tirado um tempo — ou me dado um espaço — para pensar. Nunca me ocorreu, por exemplo, que a cafeína era um estimulante, ou que os cigarros eram estimulantes, ou que o álcool era um calmante, e que comer porcaria e doces todos os dias podia afetar meu corpo e meu humor. Tudo o que eu sabia era que, quando fumava, aquele era o único momento em que me permitia inspirar fundo e expirar completamente. Eu me lembrei de todas as vezes que estive em festas e, me sentindo sufocada, irritada ou inquieta, descia ou saía para fumar. Fosse qual fosse o motivo, dizia para mim mesma que precisava de uma pausa para respirar. Era verdade: eu *realmente* precisava de uma pausa para respirar. Era tudo que me faltava: *respirar*.

Nosso corpo é um templo, mas também é um veículo. É um meio de transporte. Não é muito diferente de um carro ou de uma bicicleta. Só há um passageiro nele: a alma. E isso é *você*. Sou *eu*. E, aos 23 anos, o veículo — "meu corpo" — que continha a minha alma — *eu* — estava entrando em colapso. Como a pessoa responsável por criar aquele colapso, também era a única que podia desfazê-lo. É fácil falar agora, olhando pra trás, mas, se você não cuidar do seu corpo enquanto ainda é jovem, garanto que vai pagar o preço algum dia, se não nos primeiros anos da juventude, como aconteceu comigo, então depois dos quarenta ou cinquenta.

As mudanças que comecei a fazer na minha vida surgiram quando passei a ouvir atentamente à minha voz interior e a confiar em mim mesma que haveria outras alternativas. Quando comecei a praticar a respiração pranayama, senti como se estivesse entrando num espaço novo. Uma vez dentro daquele espaço, reparei que havia outros espaços que também precisavam da minha atenção. Por exemplo, o modo como eu me alimentava.

Não fui criada para seguir uma alimentação das mais saudáveis. Afinal de contas, cresci numa cidade pequena, e minhas irmãs e eu comíamos o que todos os outros comiam — arroz e feijão com algum tipo de carne ou legumes. Eu gostava de beliscar as batatas fritas de saquinho vendidas no mercado, e minha mãe nos deixava beber refrigerante nos fins de semana. Eu devorava Sucrilhos com leite depois do treino de vôlei. Quando parei de fumar, conheci o Dr. Dominique, que me disse que minhas glândulas suprarrenais estavam totalmente esgotadas. (Sempre que ia ao consultório dele, na verdade, ele me chamava de "Miss Adrenalina".) A teoria dele era que meus altos níveis de estresse tinham levado minhas glândulas adrenais a produzir muito ou pouco cortisol, o hormônio do estresse. Ele foi muito enfático ao dizer que minha alimentação estava me prejudicando e me aconselhou a cortar completamente o açúcar pelos três meses seguintes. Não só o açúcar do vinho que eu bebia todas as noites, mas das frutas e dos carboidratos que meu corpo metabolizava em açúcar depois de eu comer arroz, massa ou pão. Apesar de sempre ter amado chocolate e o meu Mocha Frappuccino com chantilly matinal, eu era disciplinada — e estava assustada — o suficiente para fazer o que ele havia mandado.

Cortar o açúcar foi extremamente difícil. Nas primeiras duas semanas, tive dores de cabeça fortíssimas, mas se era pela falta do açúcar ou de cafeína, ou uma combinação das duas coisas, não tenho como saber. Quando as dores de cabeça passaram, toda a minha relação com o que eu comia se transformou. Comecei a me questionar. A comida que ingeria estava me enfraquecendo ou me nutrindo? Estava me tirando ou dando energia? Depois que comecei a mudar minha alimentação, foi impossível voltar atrás. Eliminei frituras e *fast-food*, comecei a comer mais legumes e verduras, e também passei a experimentar alimentos crus. Em vez de comer carne duas vezes por dia, mudei para duas vezes por semana. Não demorou muito para sentir a diferença nos meus níveis de energia e, o mais importante, no meu humor. (Vou falar mais sobre isso no Capítulo 7.)

Eu me dei conta de que havia outras coisas de que precisava me livrar também — certos relacionamentos não eram bons para mim. Tanto pessoais quanto profissionais. Um dia fiquei sentada em silêncio e me questionei: *Esses relacionamentos são bons para mim? Estão me fazendo bem?* Sempre acreditei que os relacionamentos deviam ser baseados em amor, respeito e confiança. Refleti sobre o relacionamento com meu namorado naquela época. Todo aquele turbilhão que eu estava enfrentando me forçou a fazer questionamentos mais profundos a mim mesma, e, quando a pessoa que você ama não está fazendo as mesmas perguntas *a si mesma* — e por que teria que fazer? —, você começa a se questionar quanto vocês têm em comum. Como não me anestesiava mais com cigarro, álcool e excesso de trabalho, ficava mais e mais consciente das coisas que havia escolhido ignorar. Será que eu estava sozinha querendo fazer reflexões mais profundas enquanto ele continuava o mesmo? No fim das contas, infelizmente, a resposta foi sim. Sem falar que eu estava dedicando quase toda a minha energia a mudar *minha própria* vida. Não foi culpa minha, nem dele; estávamos apenas em estágios muito diferentes das nossas vidas. Um amigo muito sábio certa vez me disse algo que nunca mais esqueci: *Gisele, você tem que dar às pessoas a dignidade de passar pelo processo delas.* Penso muito nessas palavras. Ao mesmo tempo, era escolha minha manter ou não alguém na minha vida. A decisão que tomei não significou que não amasse mais aquela pessoa. Significou apenas que eu precisava me amar primeiro e me cercar só das coisas que iriam me fazer bem e das pessoas em quem podia confiar.

Duas ou três semanas após iniciar essa minha nova rotina, passei a me sentir mais calma e mais centrada, mais no controle das coisas. Minha mente não estava mais a mil por hora. Um mês depois, parei em frente ao elevador do meu prédio. *Vou entrar nessa coisa*, disse a mim mesma. E entrei. Minhas mãos não suaram frio. Não fiquei contando os segundos até chegar ao nono andar. Ainda precisava viajar a trabalho. Mas não tinha mais que levar um aparelho comigo nos voos. Em vez disso, pensava: *Estou num avião. Durante o voo vou ler um livro ou talvez assistir a um filme.* Ainda estava trabalhando, mas basicamente em contratos que precisava cumprir. Tinha dito à minha agente que precisava desacelerar de verdade. As pessoas podiam ficar chateadas ou não querer trabalhar mais comigo, mas falei a mim mesma que meu bem-estar era mais importante. Se não tivesse minha saúde, ou minha sanidade, não teria uma carreira — ou, pior ainda, uma vida.

Após três meses daquela nova rotina — ioga e respiração pranayama todas as manhãs ao nascer do sol, meditação, exercícios, zero açúcar e uma alimentação saudável —, os ataques de pânico desapareceram. Às vezes você precisa atingir o fundo do poço para se dar conta do tamanho da queda. Um sinal de alerta às vezes se manifesta como um beliscão, outras vezes como um soco. Estamos sempre recebendo mensagens durante o dia e enquanto dormimos. Podemos ouvi-las e fazer algo a respeito, ou podemos ignorá-las. Mas essa experiência me ensinou que, se você não ouvir essas mensagens, elas ficarão mais altas e mais intensas. Você vai acabar ou tendo uma superação ou sofrendo algum tipo de destruição. Graças a Deus, para mim não foi a segunda opção.

Mesmo que aquele tenha sido um momento desafiador, serviu para deixar claro que é minha a escolha de ver a vida de um modo positivo ou negativo. O primeiro sopro de ar que entra no nosso corpo quando nascemos, inspiramos sozinhos. O mesmo acontece com nosso último suspiro. Entre essas duas respirações, temos algumas decisões importantes a tomar. Não podemos escolher as circunstâncias das nossas vidas, mas *podemos* escolher com que atitude vamos encará-las. No fim da vida, queremos nos lembrar do nosso mau comportamento e das nossas péssimas atitudes? Dos momentos em que agimos com crueldade, inveja, medo ou quando dissemos algo cruel a alguém? Queremos passar pela vida sobrecarregados com o peso das pedras que carregamos nos bolsos?

Minha irmã Fafi tirou essa foto minha com a Vivi em Paris, em 2013, fazendo ioga de manhã bem cedo antes de sair para trabalhar.

Desde que me entendo por gente, meu desejo sempre foi viver em harmonia, de forma tão leve e com tão poucos arrependimentos quanto possível. Vou dar um exemplo. Quando fico com raiva de alguém e não consigo deixar pra lá, não tiro isso da cabeça, a raiva pode me consumir. Na verdade, ela vai me consumir. A única pessoa que pode se livrar dessa raiva sou eu mesma. Por quê? Porque fui a única responsável por criar aquela raiva — o que significa que também sou a pessoa encarregada de se livrar dela. Primeiro, contudo, preciso aceitar o que estou sentindo e por quê. Preciso ser totalmente honesta comigo mesma. Existe aqui uma injustiça real que preciso resolver, ou é algo sem importância que eu deveria deixar pra lá? Alguém mais está sofrendo com isso, ou a raiva está ferindo somente a *mim*? Apenas estando aberta a aprender, a aceitar e a ser honesta eu posso ter esperança de mudar. Se não reconhecer minha raiva, acabo como o cachorro que fica trancado no porão e mostra os dentes sempre que a porta é aberta.

É por isso que sempre que sinto o peso da raiva ou do medo, a primeira coisa que faço é aceitar meus sentimentos. Vejo esse sentimento como um visitante que só está de passagem. Então, conscientemente, me despeço dele, sabendo que fui eu quem permitiu sua visita, para começo de conversa. Não abro mão desses sentimentos por ser uma pessoa generosa! Abro mão porque, no fim das contas, é o melhor para mim. A única pessoa que vive dentro do meu cérebro, do meu corpo e da minha alma sou eu. Ninguém mais é responsável pelo que estou sentindo. Mas isso também significa que sou a única que pode resolver minhas turbulências emocionais.

Na minha cabeça, não há nada pior do que chegar ao fim da vida e saber que você é responsável por ódio ou desavenças. Já ouvi dizer que nascemos com o rosto que Deus nos deu, mas acabamos com o rosto que merecemos. No fim da minha vida, a única coisa que vai importar para mim é se fui ou não uma boa pessoa. Uma pessoa amorosa. Uma adição a esta vida — não uma subtração. Alguém que viveu a vida em sua plenitude, que viveu sua verdade, que amou a vida e a Terra e teve um impacto positivo no mundo. Espero que meu próprio rosto um dia reflita todas essas intenções. Meu pai costumava me dizer que, no fim do dia, quando eu colocasse a cabeça no travesseiro, precisava ser capaz de conviver com cada escolha que havia feito de modo a poder dormir tranquila a noite toda e acordar de manhã me sentindo bem comigo mesma.

Escrevendo no meu diário durante um retiro de ioga, em Sedona, no Arizona, em 2014.

Quando penso em amor, sempre penso na minha família. Em 2003, enquanto realizava uma mudança após a outra na vida, minha família virou meu foco. Vivendo entre Nova York e Los Angeles, e viajando o tempo todo, me dei conta do quanto tive saudade dos meus pais e das minhas irmãs e de como ter ficado na rodinha de hamster não tinha apenas me desconectado de mim mesma; também tinha me desconectado deles. Quando você passa por uma crise, ou por um período de insegurança, quer ficar perto das pessoas cujo amor e apoio são constantes. Minha família é meu porto seguro, meu refúgio. Nenhuma família é perfeita, mas acredito que a minha está sempre pronta para me defender. Quando estou perto dos meus pais e das minhas irmãs, baixo totalmente a guarda. Eles me aceitam como sou, tanto a luz quanto as sombras, e faço o mesmo com eles. Falamos a mesma língua.

Família que faz a postura da árvore unida... bem, o resto você já sabe. Esse é o Tom com a Vivi no colo, e Benny e Jack mais na frente, nas Bahamas, em 2014.

Se minhas irmãs e eu estamos conversando, e uma de nós começa a chorar, poucos segundos depois estamos *todas* chorando. *Sempre*. Se uma de nós pergunta: "Por que você está chorando?", a resposta sempre é: "Estou chorando porque *você* está chorando!"

Foi por isso que, naquele mesmo ano, voltei para a minha casa em Horizontina. Queria estar perto das pessoas que falavam a minha língua, principalmente porque não havia passado muito tempo com a minha família desde que tinha saído de casa para me lançar na carreira de modelo. Eu me senti com 14 anos de novo. Bebia os chás especiais da minha mãe. Ajudava a lavar as roupas e a limpar a casa. À noite, ajudava a fazer pastéis na cozinha, exatamente como fazia quando era pequena. Passei o máximo de tempo possível com minhas cinco irmãs, e naquele ano chegamos até a passar o carnaval na Bahia juntas. Devagarinho, fui ficando mais forte. Mais estável. Mais feliz. Eu me sentia cada vez mais à vontade. À vontade comigo mesma. À vontade com as pessoas que mais amava, e que também me amavam.

O amor é a melhor terapia. Agarradinha no gato do meu amigo em uma viagem com meus pais à África do Sul durante meu processo de cura dos ataques de pânico, na Cidade do Cabo, em 2003.

As pessoas não podem nem devem enfrentar tudo isso sozinhas. Pedir ajuda nunca é sinal de fracasso, e sim uma demonstração de força e de confiança, e de saber que sua vida vale a pena ser salva. Ao mesmo tempo, também estou convencida de que nenhum de nós aprende, ou cresce, nos momentos fáceis da vida. Se eu não tivesse tido ataques de pânico, nunca teria sentido necessidade de mudar. Nem fisicamente. Nem mentalmente. Nem espiritualmente. As dificuldades que chegaram tão perto de me matar me proporcionaram, no fim das contas, uma vida inteiramente nova. O período mais negativo que já havia vivenciado na vida se tornou o mais transformador e a maior das bênçãos. De muitas maneiras, aquela garota de 23 anos *de fato* morreu. Mas, quando ela reviveu, estava muito mais feliz, mais consciente e muito mais saudável. Ela tinha aprendido sobre o sofrimento e sobre os muitos presentes que ele pode trazer, também havia descoberto que os momentos mais sombrios das nossas vidas podem ser nossos melhores professores.

3

A qualidade da sua vida depende da qualidade dos seus relacionamentos

G*ise,* disse meu pai certo dia, durante nossa viagem de sete horas de carro do aeroporto em Porto Alegre até nossa casa em Horizontina, *no fim da sua vida, o que você vai lembrar? A casa em que viveu? O carro que dirigia? As capas de revista que fez?* Ele nem esperou a resposta. *Não,* disse ele. *A qualidade da sua vida depende da qualidade dos seus relacionamentos.*

Meu pai e eu sempre tivemos conversas significativas durante as longas viagens de carro indo para o aeroporto ou voltando de lá, principalmente quando eu ia passar uns dias em casa aos 14 e 15 anos. Sempre ia embora de Horizontina levando bons conselhos dele. Frequentemente penso no que ele dizia sobre relacionamentos. A qualidade da minha vida *realmente* depende da qualidade dos meus relacionamentos. As lembranças das minhas interações com as pessoas que amo permanecem comigo por mais tempo do que outras experiências. Os papos que tive com meu filho antes de dormir. As conversas com minha filha no trajeto para o colégio. Os momentos que compartilhei com um namorado ou amigo

Adorava as conversas com meu pai quando ele me buscava no aeroporto. Tirei essa foto dele ao volante, em 1996.

num jantar. Imagine como nossas vidas seriam tristes se passássemos o tempo todo sozinhos, sem ninguém à nossa volta, ninguém com quem contar ou compartilhar nossas experiências. É por isso que as maiores bênçãos da minha vida são meu marido, meus filhos, meus pais, minhas irmãs, meus amigos, meus bichinhos de estimação (sim, meus pets também são meus companheiros) — que me acompanham pela vida. É provável que muitas pessoas pensem que, ao deixarem a escola, dão adeus aos seus professores. Mas, na verdade, todos os nossos relacionamentos, de um jeito ou de outro, nos ensinam a respeito de nós mesmos. Porque cada relacionamento nos permite ver diferentes aspectos nossos.

No fim das contas, a relação mais duradoura e mais importante que qualquer um de nós vai ter na vida é com a gente mesmo. É por isso que acredito que o autoconhecimento é tão essencial. Todos precisamos aprender a ficar à vontade com nós mesmos o mais cedo possível e entender que somos responsáveis por quem somos. E, como já falei, o melhor modo de se conhecer é através dos nossos relacionamentos com os outros. Relacionamentos podem ser casuais ou baseados em amizade. Podem se desenvolver a partir de atividades ligadas ao trabalho, ou ser românticos. Alguns duram pouco. Outros podem durar a vida inteira. E podem variar drasticamente. Alguns exemplos: tive uma relação de amizade que me estimulou a fazer mudanças positivas, mas, ao mesmo tempo, o comportamento da outra pessoa ficava estagnado e não evoluía — ou às vezes acontecia o contrário, eu que ficara com medo de mudar. Com outros relacionamentos, me dei conta de que a única coisa que tínhamos em comum era um momento em nossas vidas que acabou ficando no passado. Amigos se mudam, trocam de emprego, se casam ou se separam. A única constante é que todas as nossas relações são importantes para o nosso crescimento.

Para descobrir quem você é, um bom começo seria examinar como você trata a si mesmo e aos outros. Quando tinha vinte e poucos anos, eu me cobrava muito. Trabalhava numa indústria em que as garotas (é assim que sempre nos chamavam — "garotas") são julgadas todos os dias por sua aparência. E eu me via com esse mesmo olhar crítico. Além disso, os comentários maldosos que ouvia no colégio e também as críticas quando comecei a trabalhar como modelo — *seu nariz é grande demais, seus olhos são pequenos demais* — se repetiam na minha cabeça como um disco arranhado. Muitas vezes o trabalho que eu estava fazendo não me deixava satisfeita. O ângulo estava errado. A luz estava errada. *Eu* estava errada. Obviamente, ser tão autocrítica não me fazia bem. Ser tão crítica quanto eu era naquela época, e levar para o lado pessoal as projeções negativas de outras pessoas, é algo realmente destrutivo.

Só depois que comecei a meditar e a praticar ioga foi que peguei a longa estrada para aprender a ter mais compaixão por mim mesma. As pessoas que começam a praticar meditação geralmente percebem, num primeiro momento, uma voz crítica dentro da própria cabeça. A autocrítica. Até mesmo paranoia. *Por que falei aquilo? Por que não lidei com aquela situação de um jeito diferente?* Dentro do meu cérebro de vinte e poucos anos havia um projetor que ficava exibindo os mesmos filmes de desaprovação várias vezes sem parar. O mesmo rolo de filme, a mesma sequência, os mesmos personagens, o mesmo diálogo. De todas as muitas lições que a meditação me ensinou, a mais importante foi sobre o poder dos meus pensamentos em me ajudar ou me fazer sofrer. Dependendo de onde eu focava a minha energia.

Sempre tive um nível de exigência muito alto comigo mesma — e esperava que as pessoas ao meu redor tivessem o mesmo tipo de comprometimento. Mas, ao longo dos anos, aprendi que esse não é necessariamente o caso. Cada um tem seu próprio tempo e modo de fazer as coisas. Com essa percepção veio outra: todo mundo, eu inclusive, está passando por alguma coisa que ninguém mais sabe, todos têm uma história — e por isso é importante se lembrar de ser gentil com a gente mesmo e com todos que cruzam nosso caminho.

Ainda há momentos em que exijo demais de mim mesma. A diferença é que agora tenho consciência dos meus sentimentos. Quando tenho pensamentos que não me são úteis de verdade, eu os vejo como visitantes ou figurantes de um filme. Só os observo — parece que estou sentada na última fileira de um teatro —, o que me dá a perspectiva para dizer "Hum, você já está pensando naquilo de novo!", então respiro fundo e afasto esses pensamentos desagradáveis para bem longe. Ao focar novamente na respiração, faço um esforço consciente para mudar o diálogo dentro da minha cabeça. Faço isso repetidas vezes, sempre que medito e ao longo do dia. (Certa vez, no meio da minha meditação matinal, quando Benny era bem pequeno, surgiu na minha mente o pensamento de que eu não tinha picado as uvas que havia botado na lancheira dele. Fui tomada pelo pensamento de que ele iria engasgar com uma uva inteira! Fiquei aflita — e tive que me convencer a parar de pensar naquilo e a me concentrar mais profundamente até que pudesse ver que era o meu medo falando, não a minha clareza. Então fiquei bem. A meditação me ajuda a permanecer calma e a pensar com clareza — mesmo quando há uvas envolvidas.)

Quando cheguei a Nova York, com 16 anos, foi uma grande mudança para mim em vários aspectos. O primeiro foi cultural. Por ser brasileira, cumprimentava quase todo mundo com um abraço e um beijo. Era o normal para mim! Nós brasileiros somos calorosos e expansivos. Os americanos nem sempre são assim. Nos meus primeiros dias em Nova York, as pessoas ficavam paralisadas, ou se afastavam de mim, ou simplesmente ficavam lá paradas parecendo meio confusas. *Será que não gostam de mim?*, eu me perguntava. *Será que fiz alguma coisa errada?*

Este foi apenas um exemplo de como é importante a gente não sofrer nem ficar sem graça por causa do nosso jeito diferente de ser. Não devemos esperar que os outros sejam como a gente. Quando reflito sobre a minha adolescência e início da juventude, lembro-me das centenas de conversas que rolaram dentro da minha própria cabeça. Mesmo quando muitos diálogos envolviam outras pessoas, eu continuava falando comigo mesma em paralelo.

Da esquerda para a direita: com minha agente de longa data, Anne, e minha mãe, na cidade de Nova York, em 2000. Acho que estava com 20 anos nessa foto.

Quem sou eu? era a pergunta mais comum que eu me fazia. *Sou o que as outras pessoas acham que sou? Se não, estou escondendo quem sou de verdade? Estou bebendo demais? Qual é o meu limite? Devo parar de fumar?* Havia outras perguntas também: *Sou o tipo de pessoa que precisa ficar um tempo sozinha? Gosto de ir para a balada, ou me sinto mais à vontade cercada de um grupo pequeno de amigos? Que tipo de relacionamento amoroso funciona melhor para mim?* Esse tipo de questionamento, acho, passa pela cabeça de todo mundo em algum momento, e nos ajuda a descobrir do que gostamos e do que não gostamos, nossos limites, nossa rotina, e o que nos faz sentir bem ou mal, sem falar no que queremos da vida. Ao nos fazermos perguntas fundamentais, passamos a ter consciência das nossas prioridades e dos nossos valores.

Tendo dito isso, aprender sobre si mesmo através da interação com outras pessoas é completamente diferente de se comparar aos outros. Pode parecer difícil de acreditar, mas faço de tudo para não me comparar com ninguém. Eu me *inspiro* em outras pessoas, mas isso não significa que me compare com elas. Esse tipo de comparação é inútil. Por quê? Porque todos nós temos algo especial, pois cada um de nós é único. Se você perde tempo se comparando com outra pessoa, a única coisa que está fazendo é abrindo espaço para a frustração e o fracasso. Você *nunca* vai se sentir bom o suficiente. Há 7 bilhões e meio de pessoas no mundo, então é muito provável que alguém vá ser sempre "melhor" do que você em algum aspecto. Mas essa pessoa é *você*? Ela faz parte da sua família? Ela cresceu na mesma época que você, compartilhou seus pais, seus irmãos, sua infância, seus professores, seus amigos, suas vantagens, suas desvantagens, sua educação, seus empregos ou...? É claro que não. Quando nos questionamos dessa forma, a ideia de se comparar com os outros parece ridícula. Eu só me comparo com uma pessoa: *eu*. Estou fazendo o melhor que posso no meu trabalho? Estou sendo a melhor esposa, a melhor mãe, a melhor amiga, o melhor ser humano? Como posso continuar a aprender e a melhorar?

Sempre fui uma pessoa receptiva, como uma esponja, em sintonia com a energia dos outros. Essa é a razão pela qual aprendi a ser mais seletiva com minhas amizades ao longo dos anos. Na adolescência e no começo da juventude, queria ser amiga de *todo mundo*! Também assumia como minha tarefa, e até minha responsabilidade, proteger meus amigos. Basicamente, fazia questão de garantir que todo mundo ao meu redor estivesse feliz. Fui assim desde pequena. Se a Pati e a Gabi brigavam, elas sempre vinham chorando me procurar, e eu agia como mediadora e as ajudava a fazer as pazes. Eu sempre levava para casa cães e gatos que encontrava abandonados nas ruas, e, quando Raque não dava muita atenção para o coelhinho de estimação dela, eu assumia a tarefa de cuidar dele. Quando comecei a fazer amigos em Nova York, na adolescência, ganhei logo fama de boa "psicóloga". Tantas pessoas me contavam seus problemas que, em determinado momento, minha irmã Fafi falou brincando que eu devia começar a cobrar pela consulta!

Eu só queria o melhor para as pessoas que faziam parte da minha vida e achava que esse sentimento era mútuo. Infelizmente, aprendi da pior maneira que nem sempre era assim. Quando comecei a ganhar dinheiro, ficava feliz em dar um pouco para quem precisasse. Como cresci compartilhando um quarto com três irmãs e dividindo uma única barra de chocolate em seis pedacinhos iguais, compartilhar era natural para mim. Você não tem dinheiro para pagar o aluguel? Aqui, deixe eu ajudar! Está tendo problemas com o namorado? Então pode ficar no meu apartamento! Não tem nada para vestir? Pega meu vestido, pega meus sapatos! Bom, não demorou muito para minha ingenuidade ser arrancada à força de mim. Chegou a um ponto em que me dei conta de que não importava quanto eu desse, nunca parecia ser o suficiente. Na verdade, algumas pessoas ficaram tão acostumadas com a minha generosidade que se chateavam quando eu dizia: *Desculpe, dessa vez eu não posso ajudar*. E eu acabava sofrendo e me sentindo usada. Aprendi que em nenhuma relação uma pessoa deve ser a única a se doar e a outra pessoa apenas a receber, porque acaba gerando ressentimento dos dois lados e então a amizade fica abalada. A cabala, uma filosofia que estudei por um tempo, tem um conceito chamado "Pão da Vergonha". Ele estabelece que as pessoas precisam fazer o trabalho de transformação para merecer a Luz. Se estivermos nos doando demais ou fazendo algo por uma pessoa que não fez por merecer, estamos dando a ela o Pão da Vergonha. Se tomamos mais do que damos, então estamos consumindo o Pão da Vergonha. Às vezes, a melhor maneira de ser generoso é oferecer aos outros o espaço de que precisam para conquistar a Luz com o próprio esforço. Depois de me dar mal algumas vezes, comecei a selecionar com mais cuidado as pessoas que mantinha próximas a mim. Com o tempo, aprendi outra lição significativa: se você é uma pessoa que só dá — seu dinheiro, seu apartamento, seu carro, suas roupas, seu tempo e seu amor — quem está em desequilíbrio pode ser você. Um amigo mais velho e mais sábio me disse certa vez: "Você tem que dar às pessoas a oportunidade de fazer o que podem e devem fazer por si mesmas." Todos passamos pelo que for necessário a fim de evoluir e crescer, e não devemos atrapalhar o processo dos outros.

Há pouco tempo bati um papo com um grande amigo que sempre se doou demais. Ele estava com problemas pessoais e agora precisava da minha ajuda. Quando chegou a hora de ir embora, ele me agradeceu várias vezes. "Olha", falei, "é você quem sai por aí ajudando os outros e se doando, e você já me ajudou no passado. Às vezes é importante dar aos outros a oportunidade de lhe ajudarem. Se é sempre você que faz tudo pelos outros, bem, isso é meio egoísta, na verdade." É uma lição que gostaria de ter aprendido mais cedo. A verdade é que pedir ajuda aos outros não é sinal de fraqueza, pelo contrário: dá às pessoas a oportunidade de se sentirem empoderadas. Fiquei feliz quando meu amigo permitiu que eu lhe desse algo em troca, porque poder retribuir nas minhas relações faz com que *eu* me sinta bem.

Talvez eu não seja mais, num primeiro momento, tão calorosa e aberta como era antes (embora ainda seja brasileira). Mas prefiro acreditar que, no fundo, as pessoas são boas, e procuro ver além da personalidade delas, focando na sua essência, no seu espírito. O espírito é a linda chama de bondade que reside em todos nós. Particularmente, adoro estar cercada de pessoas que me inspiram e que trazem à tona o que há de melhor em mim. Pessoas boas, inteligentes e que tenham compaixão. Por outro lado, não gosto de enrolação. Vá direto ao ponto, eu aguento. Espero poder retribuir essas mesmas qualidades aos meus amigos. O tempo é o maior presente que recebemos, e todos temos uma quantidade limitada dele. Por isso, o melhor presente que podemos dar a qualquer um é simplesmente isto: nosso *tempo*, nosso *amor*.

Podemos escolher nossos amigos, mas não podemos escolher nossa família — o que faz com que pais e irmãos sejam nossos primeiros e melhores professores. (Com certeza são os mais influentes.) Sempre fui extremamente apegada à minha família, e poucas relações significam mais para mim do que a que tenho com minhas cinco irmãs. Raque, Fofa, Pati, Gabi e Fafi — eu sei, é muita gente — me consolam, me desafiam e me protegem. Elas trazem estabilidade à minha vida. Minha família sempre me entende, e com eles eu baixo a guarda completamente. Não dá para ser diferente! Eles conseguiriam me ver através das minhas muralhas. Meus pais e minhas irmãs me conhecem melhor do que ninguém e estão sempre me dando sua opinião, goste eu ou não.

Por ser a mais velha, Raque, que tinha só 7 anos quando minha irmã gêmea Pati e eu nascemos, é praticamente minha segunda mãe. (Há uma diferença de 14 anos entre a Raque e nossa irmã caçula Fafi.) Quando a Pati e eu chegamos ao mundo, minha mãe tomou uma atitude muito inteligente. Ela disse a Raque e também a Fofa (que é dois anos mais nova que a Raque) que cada uma podia escolher um bebê para cuidar e ajudar a dar mamadeira e a trocar fraldas. O bebê em questão seria responsabilidade de quem o escolheu. Por trabalhar duro como bancária no Banco do Brasil e com tantas meninas em casa, minha mãe precisava contar com toda a ajuda possível. Raque pode até ter sido minha segunda mãe, mas é também minha irmã mais velha e adorava se divertir às nossas custas — qual irmão mais velho nunca fez isso, né?

Nossa avó materna morava na zona rural, a cinco horas de distância da nossa casa, ela fazia de tudo, incluindo criar e abater as próprias galinhas. Sempre que havia uma cabeça de galinha dando sopa por lá, Raque gostava de pegá-la e sair correndo atrás das minhas irmãs e de mim. Nós corríamos e nos trancávamos no banheiro tentando escapar dela. Certa vez, fomos visitar o lugar onde estavam enterrados meus avós maternos, e havia uma cerca que separava o cemitério de um pasto onde tinha uma vaca. Vi um buquê de flores de plástico no chão, então coloquei algumas das flores na cerca de madeira para enfeitá-la e tentar deixar o lugar um pouco mais animado. Quando voltamos lá, um tempo depois, as flores de plástico e a vaca haviam sumido. Raque me disse que a vaca tinha engasgado com as flores de plástico que eu havia deixado na cerca e morreu. Eu me senti péssima por vários dias, mas então, de novo, quem não adora ter um irmão mais velho com tanto senso de humor?!

Eu amo a Raque mais do que tudo, e ela tem minha gratidão eterna. Sempre cuidou muito bem de todas nós desde que nascemos e, como filha mais velha, também é a guardiã oficial das memórias da família. Se minha mãe não se lembra de alguma coisa que aconteceu quando éramos pequenas, a Raque está sempre a postos para preencher as lacunas.

Graziela, a segunda mais velha — nós a chamamos de Fofa —, sempre superou todas as expectativas. Foi a primeira a sair de casa para estudar numa escola de ensino médio em Brasília, onde nossos avós paternos moravam. Ela se mudou para lá, pois meus pais queriam dar às filhas a melhor educação possível. Depois de estudar numa escola excelente e de fazer dois cursos ao mesmo tempo em uma Universidade Federal,

Fofa passou no concurso para se tornar funcionária pública federal. Mais tarde, aos 26 anos, virou juíza federal. Ela é provavelmente a mais justa e a mais racional e analítica de nós todas, além de ser uma pessoa linda e altruísta. (O apelido dela na nossa família é Madre Teresa.) Ela também é uma cozinheira de mão cheia e adora receber a família toda na casa dela para provar suas deliciosas receitas.

Como irmã gêmea, sempre me perguntava: *Onde eu começo e onde a Pati começa? Ela e eu somos a mesma pessoa, duas partes do mesmo ser, ou pessoas totalmente separadas?* Ter uma irmã gêmea é como crescer com sua própria régua ou termômetro personalizado. Isso ficou ainda mais claro para mim quando, aos 10 anos, Pati foi diagnosticada com pneumonia dupla, e os médicos não sabiam se ela iria sobreviver. Fiquei traumatizada. A ideia de Pati estar à beira da morte era tão terrível que eu não conseguia compreender direito a dimensão daquilo. Ela ficou em tratamento intensivo por quase um mês, mas, para mim, pareceu uma eternidade. Durante a primeira semana, não tive nem permissão para vê-la. Quando finalmente pude visitá-la, ela sequer conseguia falar. Estava com tubos de oxigênio que a ajudavam a respirar. Eu não parava de perguntar quando ela iria para casa, mas minha mãe dizia que não havia como saber. Minha irmã gêmea esteve ao meu lado a minha vida inteira e, de repente, não estava mais. Fiquei arrasada. Quando Pati estava no hospital, prometi rezar a Deus todas as noites para que ela melhorasse. Rezar era a única coisa que me consolava. De repente, a vida parecia tão frágil, como se pudesse se quebrar a qualquer momento, num piscar de olhos. Quando não estava sentada ao lado da cama da Pati no hospital, estava em casa, no nosso quarto, dobrando e organizando as camisetas e as calças dela, arrumando tudo para quando ela voltasse para casa. Graças a *Deus* ela *voltou*, e daquele momento em diante comecei a valorizar a vida de um novo jeito, com mais gratidão e com uma conexão espiritual muito mais forte.

Como qualquer irmão ou irmã, a Pati e eu somos parecidas em algumas coisas, e diferentes em outras. Na nossa adolescência, por exemplo, eu era quase dez centímetros mais alta que ela. Pati era mais popular e sociável e adorava ficar com as amigas dela, enquanto eu preferia ficar sozinha, subindo em árvores e me perdendo em meu próprio mundo. Eu achava a Pati tão legal! Ela também me inspirava na escola. Era ótima aluna, o que me motivava a me esforçar mais e a ir bem nos estudos.

Sempre fui fascinada por música e adoro cantar. Na verdade, Pati, Gabi e eu cantávamos no coral da escola. Era tão divertido! Como diz o velho ditado, "Quem canta seus males espanta". Aos domingos, em geral, fazíamos churrasco, e meu pai sempre pegava o violão e a família inteira cantava. Eu sabia que Pati não era muito confiante em relação à sua voz e me lembro de perceber seu desconforto e de não querer que ela se sentisse mal. Mas tocar violão e cantar com meu pai também era um dos pontos altos da minha semana.

Gabriela, ou Gabi, era, e ainda é, a mais engraçada e a mais rebelde de nós todas. Nunca havia um momento de tédio com ela por perto. Gabi é só um ano mais nova que a Pati e eu, e crescemos como um trio, a versão brasileira de Os Três Mosqueteiros. Se eu achava que dava trabalho para os professores no colégio, aquilo não era nada se comparado com a Gabi, que estava *sempre* metida em encrenca. Antes da Fafi nascer, a Gabi passou cinco anos sendo a bebê da família, e não deve ter sido fácil para ela abdicar desse papel. Hoje a Gabi é advogada, inteligente, engraçada e intensa, e provavelmente ainda mais exigente com ela própria do que eu sou comigo mesma. Ela é perfeccionista e sente que é dever dela "proteger" a todos da família, e, com isso, às vezes se esquece de cuidar de si mesma. Felizmente, hoje está mais consciente disso e se esforça para encontrar o equilíbrio.

Por fim, temos a Fafi, o *meu* bebê. Desde que a Fafi nasceu, me tornei a segunda mãe *dela*, ou melhor, uma das cinco mães dela. Fafi gosta de brincar que é a favorita da nossa mãe, mas acho que ela é a favorita de *todas* as mães postiças também. Depois que a Fafi completou 7 anos, ela basicamente cresceu como filha única, reinando sozinha na casa. Como todas as minhas irmãs, Fafi é inteligente, linda, amorosa e solidária. Hoje virou meio que uma segunda mãe para o Benny e a Vivi, e não há palavras para descrever minha eterna gratidão por ela. Fafi também é a mais descolada da família. Foi ela que me disse que eu devia ter uma conta no Instagram e no Facebook. Num primeiro momento eu recusei. Nunca gostei de ficar muito tempo na internet, sempre fui muito reservada e não queria me expor daquela maneira. E aquilo parecia exigir muita dedicação e tempo. Mas a Fafi me convenceu de que as redes sociais eram o melhor modo de mostrar ao mundo quem eu realmente sou, e tenho que admitir, ela tinha razão.

Assim como amo o Tom, meus filhos e meus pais, amo minhas irmãs mais do que qualquer outra pessoa no mundo. Nós seis passamos nossas vidas compartilhando, começando pelo nosso quarto, as roupas que usávamos e as tarefas que dividíamos em casa. Vejo nós seis como colaboradoras, e poucas coisas me dão mais alegria do que poder trabalhar com elas. Em certo momento da minha vida, muitos dos meus relacionamentos — com meu namorado, com a agente que há tempos trabalhava comigo — estavam desmoronando ou sendo revelados pelo que realmente eram. Para que eu sentisse que tinha ao menos *um* porto seguro, meu pai teve uma ideia. Afinal de contas, quem sempre estava ao meu lado? Em quem eu confiava? Minhas irmãs. Então, quando meu pai sugeriu que trabalhássemos juntas, aceitamos num piscar de olhos. Eu me sinto tão grata por ter crescido cercada de seis mulheres incríveis — minha mãe e minhas cinco irmãs. Tirando alguns puxões de cabelo e arranhões quando éramos pequenas, sempre considerei minhas irmãs as minhas melhores amigas, e não há nada no mundo que eu não faria por elas, e sei que o sentimento é recíproco. Em pouco tempo, Pati abriu uma empresa no Brasil, e uma a uma das minhas irmãs foram embarcando no negócio. Num primeiro momento, nenhuma delas fazia a menor ideia de como o mundo da moda funcionava, e por que deveriam fazer? Nunca haviam trabalhado com isso antes, mas se dedicaram a aprender. Nos últimos dez anos, todas trabalhamos juntas, exceto Fofa, que ainda é juíza federal, embora isso não a impeça de opinar sempre que uma grande decisão precisa ser tomada. Confio muito nas minhas irmãs. Somos todas tão diferentes, mas, como meu pai diz, nós nos completamos, nos ajudamos a crescer, e, de um modo geral, somos ótimas juntas! Mesmo quando temos divergências, ou somos duras umas com as outras em certos momentos, nós sempre vamos nos amar e nos proteger, não importa o que aconteça. Todas elas são incríveis no que fazem. Somos uma família, mas também somos uma ótima equipe.

O que não significa que não haja momentos em que uma de nós fique aborrecida e comece a gritar. É comum os integrantes de uma família reservarem para si as palavras que mais machucam. Como já falei, com família a gente baixa totalmente a guarda. Ainda assim, se alguém não estiver me tratando bem, seja um amigo ou uma das minhas irmãs, minha reação é sempre a mesma: *Só vou permanecer numa relação que tenha amor e respeito. Quando você estiver pronto para retomar uma relação de amor e de respeito, ficarei feliz em conversar com você. Se você ainda não está pronto, ok. Estarei aqui quando estiver.*

Aprendemos muito com as nossas famílias. E, depois, se formamos uma nova, aprendemos muito mais. Principalmente com nossos filhos. A sensação que tenho é de que tudo se tornou verdadeiro, real e sem filtros com meus filhos. Casar-me e ter filhos me colocou frente a frente com um conjunto de espelhos totalmente novo. Já reparei que tudo que há de instável ou de extremo na minha personalidade tem um jeito engraçado de respingar no meu marido e nos meus filhos e refletir de volta para mim!

Com todas as minhas irmãs comemorando o Ano-Novo em Los Angeles, no ano 2000. *Da esquerda para a direita*: Raque, Fofa, Fafi, eu, Gabi e Pati.

Sempre fui uma pessoa impaciente. (Meus filhos e minhas irmãs já deixaram isso muito claro.) Geralmente tenho muitas ideias, projetos e interesses rolando ao mesmo tempo. Sou definitivamente hiperativa, mas, de certa forma, sinto que isso foi útil para mim. Minha mente às vezes trabalha mais rápido que a capacidade que a minha boca tem de articular as palavras, e sou o tipo de pessoa que gosta das coisas para *ontem*. Portanto, a impaciência sempre foi um grande problema para mim. Hoje estou melhor do que costumava ser, e isso graças aos meus filhos, mas ainda tenho uma longa jornada pela frente. Não é da natureza do Benny ser impaciente, mas no ano passado percebi que ele estava começando a ficar irritado. Bom, como eu sabia que ele não estava puxando esse tipo de comportamento do Tom, de quem seria se não de mim? Ser mãe me inspirou a buscar me aperfeiçoar mais que de costume porque sei que sou eu que estabeleço o tom emocional da família, e também funciono como espelho para meus filhos e meu marido. Sempre lembro aos meus filhos de que todos estamos aqui aprendendo, e que nosso aprendizado não termina nunca.

Já falei sobre como a adolescência e o início da juventude são uma época de intensa negociação interna. E poucas experiências nos ensinam mais sobre nossas vontades, necessidades e expectativas do que um relacionamento amoroso. No passado, estive em namoros que me davam a sensação de nadar contra a correnteza de um rio, e outros em que a água era calma e estável. Quando escolhi o Tom para ser meu companheiro de vida, tive a sorte de encontrar um homem mais calmo que impulsivo. Os parceiros de equipe dele são testemunhas: o Tom é alguém com quem você pode contar. É uma qualidade que eu não tinha sentido ter encontrado em nenhum dos meus relacionamentos amorosos anteriores. Eu amo meu marido — e, acima de tudo, confio nele. Com Tom, que dá uma base estável à nossa família, sou capaz de criar um *lar*.

Nós também nos complementamos. Temos valores semelhantes. Somos disciplinados quanto a rotinas e hábitos diários. Estamos os dois comprometidos com a boa saúde e nutrição (a diferença é que eu como doce quando tenho vontade, o Tom geralmente não). Meu marido é racional, analítico, um homem de poucas palavras. Já eu sou emotiva, intuitiva, inquieta, uma mulher de muitas palavras. Aprendi muito com o Tom. Quando o Benny era menorzinho, deslocou o cotovelo e começou a gritar. Fiquei em pânico até o Tom aparecer e controlar a situação. É possível que eu nunca vá conseguir ser tão tranquila, calma e controlada quanto ele, mas estou trabalhando nisso. Gosto de acreditar que a estabilidade e o equilíbrio do Tom me dão o espaço e a liberdade de que preciso para voar, e que o passarinho dentro de mim reconhece — e o Tom gosta de me lembrar disso — que está bem preso a uma corda invisível e fininha que ele guarda lá no fundo do bolso.

Com minha família, assumi naturalmente o papel de cuidadora. O dia de trabalho do Tom é longo e cansativo, e, quando chega em casa, quero dar atenção a ele. Mas, desde o começo, o Tom confiou em mim o suficiente para conversar comigo — conversar de verdade —, e com o tempo aprendi a parar de falar tanto e comecei a me tornar uma ouvinte melhor. Como meu pai gosta de dizer, *é por isso que a gente nasce com uma boca e dois ouvidos.*

Benny e Vivi dando amor e carinho ao papai na cozinha em Boston, depois de uma derrota amarga em 2016.

Às vezes, acho que colocamos muita pressão e responsabilidade em nossa vida conjugal. Esperamos que nossos companheiros sejam nossos amantes, melhores amigos, conselheiros, que sejam *tudo* para nós. Isso não quer dizer que ao longo de qualquer relacionamento nós não desempenhemos esses papéis, e que nossos parceiros não façam o mesmo por nós. Mas por que uma pessoa deveria ser responsável pela nossa felicidade? Isso coloca muita pressão no relacionamento, e me parece injusto e limitante para ambos. Afinal, nossas vidas são feitas de tantas relações, e aprendemos coisas tão diferentes com todas elas.

Cada relacionamento tem algo a acrescentar à nossa vida, mesmo os difíceis. Sinto que em qualquer relação estamos aprendendo ou ensinando, ou, às vezes, fazendo as duas coisas ao mesmo tempo. Adoro harmonia, e amo viver em harmonia com as pessoas ao meu redor — e creio que nada gera mais harmonia do que tratar os outros como gostaríamos de ser tratados. A energia e a intenção que você coloca são o que conta. Ao compartilhar amor, é mais provável que vá receber amor. Mas, mesmo quando isso não acontece, simplesmente continuo oferecendo amor. É assim que eu sou, e é o que sempre me fez sentir bem.

Na minha cabeça, não há nada mais maravilhoso do que viver a vida construindo relações significativas. Não é incrível quando uma pessoa pode contar de verdade com você, e então, anos depois, sem que estivesse esperando nada em troca, você descobre que pode contar com ela? Quão incompleta seria a vida sem essas relações? Não se trata de correr para chegar ao destino; trata-se de aproveitar a viagem ao longo do caminho, e essa viagem é feita de momentos, experiências e interações com outras pessoas — e, às vezes, com animais. É *isso* o que cria as nossas memórias. É *isso* o que realmente importa.

O instinto também tem um papel importante em nossas novas relações. Afinal de contas, você nunca sabe quando vai conhecer as pessoas que podem acabar tendo uma influência positiva e duradoura na sua vida. Sempre que ouvi minha voz interior, dei sorte. Há alguns anos, lembro-me de ter ouvido falar de um cara chamado Pedro, que era uma figura importante na agricultura regenerativa no Brasil. Certo dia, quando estava em São Paulo, vi o Pedro na capa de uma revista na mesa do meu hotel. Liguei para minha irmã, Pati, para ver se era possível marcar uma reunião com ele. Pati marcou a reunião, e logo meu pai, Gabi, Fafi e eu fomos visitar o Pedro na linda fazenda dele, onde tivemos uma ótima conversa sobre a natureza e sobre a necessidade de todos trabalharmos com empenho para proteger o planeta. Mais ou menos na mesma época, me convidaram para participar do documentário *O começo da vida*, sobre a importância dos primeiros 24 meses de vida de uma criança. Sabendo que a diretora do filme, Estela, é uma apaixonada por educação e desenvolvimento na primeira infância, quis ajudar, então obviamente aceitei. Durante as várias reuniões que tivemos depois com o Pedro, soube que ele era muito amigo da Ana Lu, que trabalhava com a Estela e que criou o Instituto Alana, dedicado a promover o desenvolvimento integral da criança. Poucos meses depois de conhecer o Pedro, me encontrei com a Ana Lu, com o marido dela, Marcos, e com a Estela, quando eles estavam em Boston. Tivemos uma conexão positiva instantânea. Então combinamos de jantar na casa da

Uma foto dos meus amigos do Believe.Earth, logo após o discurso que fiz no Rock in Rio (*da esquerda para a direita*) Pati, Estela, eu, Ana Lu, Marcos e Pedro.

Ana e do Marcos da próxima vez que eu estivesse no Brasil. Quando nos reunimos, discutimos como poderíamos unir forças para criar uma mudança positiva no mundo. Sentamos num círculo no gramado sob a lua cheia mais linda e compartilhamos ideias e crenças sobre a promoção de um mundo melhor através da disseminação da positividade e da esperança.

Foi assim que nasceu o Believe.Earth. A intenção era criar uma plataforma para contar histórias de pessoas que estão contribuindo positivamente para o mundo. Nossa missão é *Se você acreditar, o futuro pode ser inacreditável*. Como eu poderia saber que o Pedro, a Estela, a Ana e o Marcos eram amigos? Ou que meu instinto de entrar em contato com o Pedro e o fato de eu participar do documentário *O começo da vida* iria criar a centelha que me levou a conhecer todas essas pessoas do bem e nos inspirou a criar o Believe.Earth? A vida é realmente uma aventura, e nunca sabemos aonde nossas amizades vão nos levar — e é isso o que as torna tão interessantes e especiais.

Acredito que nossas relações — incluindo a nossa vida conjugal — vêm até nós para ajudar no nosso crescimento e para nos dar a oportunidade de aprender a criar felicidade e satisfação. Todas as nossas relações juntas formam um tipo de mosaico. No meu, a maior área pertence a Tom, Benny, Vivi, Jack e nossas famílias. Há também partes do mosaico da minha vida que pertencem aos amigos que fiz logo que cheguei a Nova York — Nino, Helly, Robby, Jody, Anne, Harry, Amber, Kevin e Katie. Outras partes estão reservadas aos meus amigos de infância em Horizontina e aos amigos que tenho em todas as partes do mundo, que me inspiraram e compartilharam minha paixão e meu propósito de tornar o mundo um lugar melhor. Outros representam amigos que fiz na escola dos meus filhos, e amigos que o Tom e eu fizemos juntos. E, mesmo assim, ainda há grandes porções em branco. Esse espaço está reservado para todos os amigos e professores que ainda não conheci. Meu objetivo é continuar a aprender sobre mim mesma e sobre os outros até meu último suspiro — vivendo a vida em toda a sua plenitude. É por isso que estou *aqui*.

No meu chá de bebê com alguns dos meus amigos mais queridos, em Boston, em 2009.

Um dos relacionamentos mais longos e mais importantes que tive não foi com outra pessoa. Foi com uma cachorrinha. Uma cachorrinha linda, engraçada, brincalhona, carinhosa e irresistível chamada Vida. Não há um dia em eu que não pense nela e não sinta sua falta. Pode acreditar quando digo que não teria realizado tanto na minha carreira ou na minha vida sem ela.

Vejo os cães como anjos da guarda, como protetores em forma de bichinhos. A Vida e eu nos conhecemos quando eu tinha 18 anos. Por dois anos vivi em Nova York, só com uma mala, num apartamento de modelos — quatro quartos com dois beliches cada, um dormitório rotativo para garotas do mundo todo —, na East 35th Street. Eu trabalhava literalmente todos os dias e à noite decorava frases em inglês ouvindo fitas da Mariah Carey e do Boyz II Men, já que estava ocupada demais para frequentar o curso intensivo de inglês.

Desde que saí do Brasil, vivia totalmente independente e era dona do meu nariz. Mesmo sendo uma menina de 18 anos morando a quase 8 mil quilômetros de distância da minha família, não me via como uma pessoa solitária. Mas talvez me sentisse mais sozinha do que imaginava, porque, quando a Vida cruzou o meu caminho, ela me deu todo o aconchego e todo o amor de que eu nem sabia que carecia.

Vi a Vida pela primeira vez na vitrine de uma loja chamada American Kennels. Estava indo para algum teste ou voltando quando avistei a menor e mais adorável cachorrinha que já tinha visto, toda serelepe num ninho de palha, na esquina da Madison Avenue com a 62nd Street. Era tão pequena que cabia na palma da minha mão. Entrei, me sentei no chão e brinquei com ela por algumas horas. Perdi a noção do tempo. Só de vê-la na vitrine fiquei apaixonada, mas passar um tempo com ela oficializou a relação. Ela, Vida, era especial. Eu tive certeza. Descobri que era da raça Teacup Yorkie (Yorkshire Terrier mini), sobre a qual eu não conhecia nada. Mas *soube* que seria impossível sair daquela loja sem ela.

Era fim de tarde e, pouco antes do horário de fechamento da loja, entreguei meu cartão de crédito ao caixa. Custava trezentos dólares, bem caro, pensei, mas me lembrei de que a American Kennels vendia cães com pedigree para os moradores de uma região nobre, o Upper East Side, e não tinha nada de canil de fundo de quintal. Saí da loja com a minha nova melhor amiga, com ela aninhada dentro do meu casaco para ficar quentinha, e começamos nossa grande aventura juntas. Naquele momento, minha vida mudou. Não se resumia mais a morar em Nova York, trabalhar o tempo todo, decorar letras de música da Mariah Carey e do Boyz II Men debaixo das cobertas. Agora éramos Vida e eu contra o mundo!

Eu com minha trança e meu brinco de pena, e a bebê Vida, alguns dias depois de nos conhecermos, na frente do prédio onde ficava o apartamento que subloquei na 10th Street com University Place em Nova York (tinham nos expulsado do apartamento das modelos). Olha só como a Vida era pequeninha! Olha essa carinha!

Havia só um probleminha: o apartamento das modelos tinha uma regra rígida que proibia animais de estimação. Eu não podia ficar lá com a Vida. Mas não ia devolvê-la para a loja, isso estava fora de questão. Contei para as outras meninas que minha cachorrinha pesava menos de um quilo e que cabia literalmente na palma da minha mão. Ainda assim contava como animal de estimação? As regras do prédio se aplicavam a uma coisinha tão pequena? Será que eu podia ficar lá só mais uma noite e bolar um plano pela manhã? No dia seguinte, sabendo que não tinha dinheiro suficiente para alugar um apartamento ou me hospedar num hotel, encontrei um quarto numa república perto do túnel Midtown — banheiro compartilhado, chuveiro compartilhado, um quarto pequeno e escuro com apenas uma cama e uma pia —, onde fiquei morando pela semana seguinte. Era um lugar assustador e sombrio. Quando contei à minha agente sobre minha nova moradia, ela me disse que temia pela minha vida. No dia seguinte, achou um apartamento para sublocar no West Village que pertencia a outra modelo que ia ficar em Paris a trabalho pelos meses seguintes.

Vida ainda não tinha nome. Eu a abraçava e a apertava enquanto dizia: *Minha vida! Minha vida!* Então ela passou a se chamar Vida. Foi o nome perfeito para ela, porque Vida *realmente* se tornou a minha vida. Então, alguns dias depois que me mudei para o apartamento sublocado, o telefone tocou. Era minha mãe, e estava furiosa. Eu era dependente dela no cartão de crédito, e a fatura havia acabado de chegar pelo correio. Naquela época, eu já tinha uma boa exposição como modelo e estava montando meu portfólio, mas ainda não ganhava muito dinheiro. Quando fazia desfiles ou editoriais de moda nas revistas, geralmente saía com algo em torno de cem dólares. Tinha um dinheirinho guardado de quando trabalhei no Japão, e minha agência me dava adiantamentos que eram deduzidos dos trabalhos que eu arrumava, mas minha mãe e eu ainda tínhamos conta conjunta, já que ela achava que eu era jovem demais para ficar totalmente encarregada das minhas próprias finanças. Foi assim que ela soube que eu havia gastado três mil dólares numa loja chamada American Kennels, e *Gise, você sabe quanto dinheiro é isso, e, pelo amor de Deus, onde tu tava com a cabeça?* Senti o estômago embrulhar. Não tinha reparado naquele zero a mais. Se eu já achava trezentos dólares muito, três mil era algo inimaginável. Eu ouvia o que minha mãe estava dizendo — ela trabalhava como caixa de banco e sabia o valor do dólar. Mas ela *tinha* que entender. Fossem trezentos ou três mil dólares, comprar Vida foi a melhor coisa que eu fiz. *Mãe*, eu ficava dizendo, *você não entende. Estamos falando da Vida!*

Digo e repito, tudo que conquistei na minha carreira ou na minha vida pessoal não teria sido possível sem a Vida. Ela sempre estava lá para me apoiar. Era a única constante no meu mundo. Todo dia ela me deixava mais feliz, mais alegre e mais completa. Era meu anjo, meu escudo, minha guarda-costas, meu bebê, minha filha, minha mãe, minha melhor amiga. Com a Vida por perto, eu nunca estava sozinha. Podia ser apenas uma menina normal de 18 anos.

Quando a modelo de quem subloquei o apartamento voltou de Paris, subloquei outro imóvel — desta vez na 58th Street com a Oitava Avenida — que achei pelos classificados do jornal. Esse apartamento custava seiscentos dólares por mês, tudo o que eu podia pagar na época. Era uma quitinete que parecia um ovo, a cozinha tinha aqueles fogões elétricos com duas bocas e um frigobar, o chuveiro do banheiro era uma mangueira pendendo do teto. As prostitutas se reuniam todas as noites na esquina da rua. Eu dormia num colchão no chão, com a Vida ao meu lado. Certa noite, vi alguma coisa se deslocando devagar na penumbra e chamei: “Vida?” Mas dava para sentir o corpinho dela junto ao meu, então, quando acendi a luz, vi um rato três vezes maior que a Vida rastejando bem perto de mim. Na manhã seguinte, comprei ratoeiras no mercado. Não só porque minha mãe estava prestes a chegar para me visitar, mas fiquei sabendo que ratazanas poderiam comer uma criaturinha tão pequena como a Vida.

Vida chorava muito quando pequena, então resolvi levá-la comigo para onde quer que fosse. Eu tinha uma bolsa pequena, tipo sacola. Quando pegava a bolsa, ela ficava pronta para ir. Vida saltava dentro da bolsa, colocava a cabecinha para fora, e nós duas saíamos por aí. Ela não tinha medo de nada. Acho que pensava que era um esquilo-voador. Mesmo quando eu passava por ela casualmente com a bolsa aberta, escutava um barulho de vento, como o bater de asas, e de repente minha bolsa ficava dois quilos mais pesada.

Em pouco tempo, Vida se tornou uma figurinha constante nos estúdios fotográficos e nos desfiles. Todo mundo sabia que ela era minha cachorrinha. Ela ficava sentada no meu colo enquanto arrumavam meu cabelo e faziam minha maquiagem. Durante os desfiles, ela ficava dentro da bolsa ou num cantinho presa na coleira, do contrário ela correria pela passarela atrás de mim. Vida era extremamente sociável. Gostava de passear e de fazer novos amigos. Sabendo quanta distância ela podia percorrer, as pessoas começaram a usá-la como mensageira. Vida aparecia com um post-it amarelo na coleira: *Oi, Gisele, acabei de dar bacon para a Vida*, ou *Oi, Gisele, você pode me encontrar no estúdio seis, por favor?* Uma vez Vida apareceu nos bastidores com apliques de cabelo, e outra vez meu querido amigo fotógrafo Steven Meisel fez uma Polaroid dela com a legenda *VOGUE* ao fundo, e assim Vida estreou como capa de revista. Mais de uma vez eu a avistei no meu camarim com metade de um bagel (um tipo de pão pequeno, duro e em forma de anel) na boca. Depois que ela começou a inchar como um balão, tive que implorar às pessoas que não dessem guloseimas para ela. Se por alguma razão eu não pudesse levar a Vida comigo para o trabalho, ela me esperava em casa e me recebia toda animada, pulando no meu colo. Toda noite ela dormia ao meu lado na cama, ou no meu travesseiro, com o rostinho colado ao meu. À noite

Minha mãe e eu na frente do prédio onde morei por um tempo em 1998, o mesmo lugar onde certa noite vi um rato maior que a Vida.

eu sentia as batidas rápidas do coraçãozinho dela. Era como se nós duas estivéssemos conectadas por um cordão invisível. Ela era tanto parte de mim quanto eu era dela.

Quando eu não estava trabalhando ou dormindo, estava dentro de um avião indo para o próximo trabalho. Não importava para onde fosse — Europa, Extremo Oriente —, a Vida ia comigo. Ela era uma ótima passageira, silenciosa e bem-comportada. Vida estava ao meu lado quando conheci o Tom, quando o Jack era pequeno, e quando o Benny nasceu. Quando me mudei para Boston, Vida imediatamente deixou muito claro que ela era a rainha da casa, o cão de guarda, a protetora da família. Quando Benny era pequeno, se qualquer um ousasse entrar no quarto dele quando estivesse dormindo, Vida rosnava. Tom também amava a Vida. Ela já não era mais uma filhotinha na época, e sempre que eu tinha que fazer uma viagem de um ou dois dias, o Tom a levava para o Gillette Stadium para que ela não tivesse que ficar o dia inteiro sozinha. Sem brincadeira, ele amava fazer isso! Um dia me contou que a Vida costumava perseguir o Randy Moss, wide receiver dos Patriots, pelo vestiário, e que Randy tinha medo dela.

À medida que o tempo passou, o corpo da Vida começou a enfraquecer. Raças como a dela são particularmente vulneráveis a colapso de traqueia. A traqueia dela ficou tão estreita que dificultava a passagem de ar. Nossa família inteira estava em Los Angeles no dia em que ela ficou mal. Eu estava no fim de umas férias curtas e tinha voo marcado para Nova York no dia seguinte para trabalhar. Estava curtindo uma tarde de descanso na jacuzzi com o Jack, que na época tinha 5 anos, e o Benny, que tinha 2, quando a Vida apareceu e, em seu melhor estilo esquilo-voador, saltou para dentro da água quentinha com a gente. Rapidamente eu a tirei de lá. Imaginei que fosse se sacudir ou rolar na grama do jeito que sempre fazia quando se molhava. Mas, alguns minutos depois, Ben, que era assistente do Tom na época e nosso amigo, veio correndo com a Vida nos braços — ela estava tremendo e quase não conseguia respirar. Entrei em pânico. Não podia deixar os meninos sozinhos, e ela precisava ir com urgência para a clínica veterinária, então pedi ao Ben que corresse e a levasse para lá.

Quando eles chegaram à clínica da Dra. Lisa, ela logo sedou a Vida. A veterinária disse ao Ben que a Vida estava tendo cada vez mais dificuldade para respirar por causa do colapso da traqueia, o que significava que naquele momento sua traqueia estava menor que a espessura de um canudinho. Vida precisou ficar sedada em observação na clínica veterinária, e meu coração se partiu quando precisei ir para Nova York — onde tinha uma obrigação contratual a cumprir — na manhã seguinte. Esperei que fosse ser só um pesadelo e que a Vida fosse melhorar, mas,

Minha companheirinha e eu no meu último trabalho antes do Benny nascer, em 2009.

quando a veterinária me ligou no dia seguinte para dizer que ela estava piorando e que talvez não fosse durar muito mais, eu pedi mil perdões — *Sinto muito, sinto muito, eu tenho que ir embora correndo* — e, assim que acabou o trabalho, saí correndo e peguei um voo de volta para Los Angeles.

Quando cheguei a Los Angeles, a Vida ainda estava sedada — só assim conseguia respirar — e praticamente não se mexia. Nós duas passamos o dia todo juntas. No gramado atrás da nossa casa, havia uma área com uma pequena cachoeira e um laguinho, cercados de árvores. Era um lugar tranquilo e isolado. Envolvi a Vida numa cobertinha e nós duas ficamos lá sentadas até escurecer. Eu a ninava, e ela fechava os olhinhos

Levando Vida e Jack para visitar o papai no treino, em 2008.

e depois acordava. A última coisa que eu queria era que ela sufocasse ou que sentisse qualquer dor. A veterinária tinha me dito que viria até minha casa naquela noite. Quando chegou, Vida ainda estava nos meus braços, enrolada na cobertinha.

Coloquei um cristalzinho de quartzo rosa em formato de coração nas dobras da cobertinha e enrolei nela minha echarpe favorita, sobre a qual Vida adorava dormir. Coloquei a boca bem perto do rostinho dela e disse: *Obrigada, Vida, por ter cuidado tão bem de mim. Agora é minha vez de cuidar de você. Você vai dormir agora e, quando acordar, não vai mais estar dentro do seu corpo. Obrigada, Vidinha — obrigada, obrigada, obrigada.* A Dra. Lisa não podia ter sido mais gentil, bondosa ou respeitosa. Minha melhor amiga deu seu último suspiro nos meus braços.

Eu não conseguia parar de chorar. Eu a enterrei junto com alguns dos meus cristais favoritos, enroladinha na echarpe que nós duas adorávamos.

Antes de eu conhecer a Vida, os cães sempre fizeram parte da minha história. Durante minha infância no Brasil, tive alguns vira-latas — Xuxa, Suzy, Fofo, Preto — e, depois de me mudar para Los Angeles, com vinte e poucos anos, fui até o canil South Central onde adotei Hazel, e também tive Willy e Django. Depois que o Tom foi apresentado à Vida, declarou que *ele* também queria um cachorro. Um macho bem grandão! Desconfio de que alguns de seus companheiros de time estivessem tirando sarro dele quando levava a Vida para o treino. Pelo site Petfinder (que ajuda achar casas para cachorros de rua), encontramos Lua e o irmão dela. Eu disse ao Tom que sentia muito, mas que *não ia* pegar mais dois cachorros. Afinal, eu estava grávida, e nós *já tínhamos* dois cães na Costa Rica. A irmã do Tom, Nancy, se ofereceu para ficar com o irmão da Lua. Então, após alguns anos, Tom disse que desde criança sempre quis ter um beagle. Em poucos dias, um beagle se materializou na nossa porta como que por mágica. Scooby tinha 3 anos, e Tom disse que era adotado. Ele sabia que se dissesse a palavra "adotado" eu jamais reclamaria, e não reclamei. Foi assim também que encontrei Pepe e Negrita, os dois cães que recolhi das ruas na Costa Rica e que agora moram na nossa casa de lá. (Se vejo um cão ou gato ou qualquer outro animal abandonado na rua, de jeito nenhum os deixo lá para sofrer, por isso tive tantos cães e 14 gatos quando era pequena.)

Dando adeus à minha melhor amiga, no dia em que ela partiu da Terra, em Los Angeles, em 2012.

Tentando achar um espaço na cama, em 2008. Ali atrás é a Vida, Willie bem na frente e Hazel descansando ao lado do Tom. (É claro que isso foi *antes* de termos filhos).

Poucas semanas depois de o Scooby chegar, minha amiga Sam, que mora em Los Angeles, ligou para contar que uma amiga dela tinha encontrado uns filhotinhos abandonados na rua e, sabendo que os outros três filhotes tinham conseguido um lar, peguei um. Vivi batizou a nova cachorrinha de Fluffy, mas todo mundo a chama de Fluffers.

Eu amei todos os meus cães. Amo os cachorros que tenho hoje. Mas nunca amei tanto um cachorro como ainda amo a Vida. Hoje, na nossa casa em Boston, tenho um altarzinho onde fica o cristal de quartzo rosa em formato de coração que eu tinha colocado no meio da cobertinha dela em seus momentos finais. Não quis enterrá-lo junto com ela. Quero ter uma parte dela comigo para sempre. Mas quis enterrá-la com a echarpe que nós duas amávamos. Disse a mim mesma que a echarpe a protegeria da terra fria e a manteria aconchegada e quentinha. Aquele cristal de quartzo rosa é a única lembrança física que tenho do nosso último dia juntas. Vida me proporcionou memórias felizes que jamais esquecerei. Pode parecer loucura dizer que uma cachorrinha foi meu anjo da guarda, melhor amiga, protetora, defensora e fonte constante de alegria e de felicidade na minha vida — mas é verdade. Vida foi o serzinho mais adorável, doce, inteligente, engraçado e corajoso que já conheci. Nem um dia se passou sem que ela fizesse com que eu me sentisse especial, feliz e amada. Sei que Vida consegue me ouvir quando digo a ela, repetidas vezes, *obrigada*. A mamãe vai amar você pra sempre.

4

Nossos pensamentos e palavras têm poder — use-os com sabedoria

Uma intenção que tento pôr em prática todos os dias é levar a vida com o máximo de consciência possível — de mim mesma e de tudo que acontece ao meu redor. Isso significa estar totalmente presente em todos os momentos da minha vida *enquanto* eles estão acontecendo. Acho que o autoconhecimento é uma das coisas mais importantes da vida. Mas é claro que se trata mais de um processo contínuo do que de uma meta. Na adolescência, a maioria de nós acredita que já sabe tudo o que há para saber sobre nós mesmos (e talvez sobre todo o resto — é só perguntar aos seus pais). Mas, alguns anos depois, quando pensamos na nossa versão adolescente, temos a sensação de que estamos observando outra pessoa. Afinal de contas, *quem* era aquela garota? Na verdade, vejo que esse tipo de experiência acontece de tempos em tempos. Nosso autoconhecimento tem o potencial de se aprofundar e de se expandir, e as maiores influências nesse processo são nossos pensamentos, nossas palavras e nossas ações.

Quais foram os primeiros pensamentos que passaram pela sua cabeça quando acordou hoje de manhã? Você sentiu gratidão por estar vivo?

Apreciou sua cama quentinha e como foi bom se espreguiçar e sentir seu corpo se alongando depois de uma boa noite de sono? Sentiu animação com o dia que teria pela frente? Ou você se concentrou em todo o trabalho que tem a fazer, e em como nunca tem tempo para si, e como o mundo às vezes parece estar conspirando contra você e *é sério* que está chovendo de novo? Cito esses exemplos para destacar que pensamentos positivos e negativos moldam a qualidade das nossas experiências.

Nossos pensamentos criam nossas palavras e ações. Aliás, usar palavras é um tipo de ação. A compreensão que tenho do poder dos meus pensamentos aumentou muito quando comecei a meditar. Quanto mais consciente me tornei do lugar aonde meus pensamentos estavam me levando, mais consciente fiquei das palavras e ações que se seguiam. Percebi que às vezes ficava à mercê deles. Nossa mente não deveria *nos* servir — em vez do contrário?

Exausta! Nos preparativos desde cedo para um desfile na Semana de Moda de Milão, durante uma temporada frenética de desfiles, em 1998.

Se seus pensamentos são positivos, suas palavras tendem a ser positivas também. Se seus pensamentos são negativos, suas palavras têm uma probabilidade maior de causar danos, mesmo que essa nunca tenha sido a sua intenção. Depois que dizemos algo, não temos como retirar o que foi dito. Falar coisas negativas e nocivas pode deixar feridas que vão além daquele momento em particular. Suas palavras podem se tornar parte das crenças *de outra pessoa*, parte de como *ela* vai definir a si mesma e você. O que pode ser mais perigoso do que isso? Falo para os meus filhos que as palavras que eles usam não são muito diferentes de feitiços. Se houver amor e bondade por trás dessas palavras, elas ficam carregadas de positividade e podem produzir um efeito mágico. Mas, se os pensamentos e as palavras deles vêm da raiva ou da inveja, podem causar muitos estragos.

Somos como um disco rígido em que diversos dados são gravados. Esses dados vêm de nossas experiências anteriores. Seu lar era amoroso e pacífico? Você cresceu tendo bons exemplos de como as pessoas devem tratar umas às outras? Ou seus familiares erguiam a voz e batiam portas sempre que um problema surgia? Pode ser difícil se livrar do condicionamento que se adquire na infância. A essa altura você já sabe que tenho uma relação muito próxima com meus familiares, mas com meus colegas de escola foi outra história. Foi no colégio que descobri o poder dos pensamentos e das palavras.

Quando eu tinha uns 12 ou 13 anos, era pelo menos dez centímetros mais alta que todos os meus colegas de turma, meninos e meninas, e isso incluía minha própria irmã gêmea. Meus colegas implicavam comigo sem parar, fazendo com que eu me sentisse esquisita e desconfortável com meu próprio corpo. Pesava uns 45 quilos. Costumava usar duas calças para ir à escola, numa tentativa de fazer as pernas parecerem mais grossas. Para desviar a atenção da minha altura, andava com os ombros caídos, e claro que isso só fazia minha altura ficar ainda mais evidente.

A última coisa que queria era ser diferente. Só queria sentir que fazia parte da turma. Na escola nos deparamos pela primeira vez com a ideia de divisão por *categorias*. Sou atleta, artista, gênio da matemática, cientista, atriz ou uma garota descolada? Eu não fazia parte da turma dos descolados, mas tive sorte de ser uma boa jogadora de vôlei, o que ajudou muito com a minha confiança e fez com que eu me sentisse parte de algum grupo.

Ainda assim, alguns dos meus colegas de turma gostavam muito de pegar no meu pé. Eles tinham vários apelidos para mim. O favorito era

"Oli" por causa da Olívia Palito, a personagem alta e magricela do desenho animado *Popeye*. Outro era "Saracura", uma ave de olhos pequenos e pernas longas e finas que parecem gravetos. Também me chamavam de "Camarão", já que minha pele ficava vermelha sempre que eu jogava uma partida intensa de vôlei. Lembro que uma vez entrei na sala de aula e vi um cartaz com o desenho de um esqueleto com uma legenda que dizia: "Alguém viu a Oli?" Eu me senti humilhada. Obviamente, minha aparência também afetava minha vida social. Nas festas dos amigos, raramente os garotos me convidavam para dançar música lenta, e eu ficava lá me sentindo um peixe fora d'água.

Como eu não sabia muito da vida, algumas vezes acreditei nas palavras dos meus colegas de turma. Voltava para casa depois da escola e ficava

Meu último ano jogando vôlei com minhas companheiras de time, em 1994. Sou eu pulando na rede, me preparando para dar uma cortada.

me olhando no espelho. *Talvez eu seja meio estranha mesmo*, pensava. Não tinha, naquela época, a maturidade emocional necessária para entender por que alguém decidia magoar outra pessoa de propósito. Afinal de contas, meu pai nos dizia que, se não tivéssemos nada de bom para falar sobre alguém, não devíamos dizer nada!

Só mais tarde compreendi que os tiradores de sarro da minha escola só zombavam de quem não combinava com o grupo. A menina de cabelo ruivo. O menino com sardas. E, no meu caso, a menina magricela, alta e desengonçada. Eles deviam estar infelizes, ou insatisfeitos com suas próprias vidas, ou talvez só gostassem de implicar com crianças mais vulneráveis para fazer todo mundo rir. Poderiam também estar projetando sua mágoa e seu sofrimento em mim como um modo de se sentirem menos sozinhos com a própria dor. Acho difícil acreditar que quem é feliz ou amoroso seja capaz de fazer *bullying* com outra pessoa pelo simples prazer de causar sofrimento.

Obviamente, não esqueci as palavras dos meus colegas. Mas eu os perdoei e não guardei nenhum ressentimento ou raiva deles. Se tivesse deixado aquelas palavras me definirem, teria parado de acreditar que eu servia para alguma coisa. Quando cheguei a São Paulo, achei que aquilo tudo havia ficado para trás, já que ser alta e magra parecia ter se tornado uma vantagem. Mas então ouvi as palavras de uma editora de moda durante um dos meus primeiros *castings*: *Ela nunca vai ser capa da minha revista. Os olhos dela são pequenos demais e o nariz é muito grande para o rosto.* Fiquei tão triste, e naquele mesmo dia liguei para o meu pai e contei o que tinha acontecido. Ele disse: "Da próxima vez que alguém te falar isso, diga pra eles 'Eu tenho uma grande personalidade também'." De alguma forma, ouvir as palavras do meu pai fez com que eu me sentisse muito melhor e renovou minha confiança. Sempre me lembro dessas palavras quando alguém faz um comentário maldoso sobre mim. Sim, de fato, tenho uma grande personalidade e vejo isso como um dos meus pontos fortes.

Ainda assim, aos 14 anos, eu era meio moleque — magra, musculosa e de aparência saudável, com seios de tamanho normal — mas então veio a puberdade. Dois anos depois, meu peito ficou bem maior, o que fez com que eu me destacasse de novo e me sentisse ainda mais envergonhada, principalmente numa época em que as modelos pálidas e de aparência andrógina estavam conseguindo todos os trabalhos. Eu media quase 1,77m, pesava uns 52 quilos, era muito magra com seios enormes (até me apelidaram de "Boobs from Brazil" — "Peitos do Brasil"). Nas provas de roupas, nenhum dos tamanhos das amostras era feito para mulheres com meu tipo de corpo. Consequentemente, não me sentia bonita nem valorizada — nunca era boa o suficiente. Mas as palavras negativas que as pessoas usavam para me descrever também serviam para me motivar. Dali em diante, sempre que me ofereciam um trabalho eu dizia a mim mesma que tinha que ser mais do que boa. Sentia que precisava me colocar à altura da tarefa e conquistar a confiança das pessoas. Mesmo assim, ainda me sentia esquisita e desajeitada, e mal podia acreditar quando alguém da indústria me oferecia uma oportunidade e me contratava para um trabalho.

Quando me tornei mãe, todas essas lembranças da adolescência e início da carreira de modelo vieram à tona. O Benny e a Vivi ainda são muito pequenos, mas já expliquei para eles que as palavras que as outras pessoas usam para descrevê-los só são verdadeiras se eles as aceitarem como verdadeiras. Por exemplo, eles podem responder dizendo "Ah, não, você está errado, esta é a verdade sobre mim", em vez de deixar que outra pessoa os defina.

O processo de aprender a se definir nem sempre é fácil, principalmente quando se é jovem e sua identidade gira muito em torno do que outras pessoas pensam ou dizem a seu respeito. Ainda assim, digo e repito para o Benny e a Vivi que a autoestima depende deles e que na maior parte do tempo, as palavras que as pessoas usam para nos descrever são projeções de como *elas* se sentem em relação a elas mesmas. Afinal de contas, quando

Fantasia *versus* realidade, *ela versus* o verdadeiro eu. Na frente da campanha Versace Jeans, fotografada por Steven Meisel, em 1999.

palavras negativas são dirigidas a nós, talvez a outra pessoa esteja apenas tendo um dia ruim e simplesmente extravasando sua própria frustração.

Benny é uma daquelas crianças que fica triste quando alguém pisa numa formiga. Se uma criança cai no parquinho, ele é o primeiro a correr para ver se está tudo bem. Todas as manhãs, quando chega à escola, Benny dá um abraço em cada um de seus amigos. Mas ele também já foi alvo de provocações. Imaginem como é ser o filho do famoso quarterback do New England Patriots *e* estudar numa escola na Nova Inglaterra *e* ser alguém que prefere desenhar, cantar ou brincar de Lego a praticar esportes. Minha experiência pessoal quando criança me preparou para ajudar o Benny a passar pela época da escola e me deu a oportunidade de aprender a ter compaixão por mim mesma quando era mais nova. Somos todos únicos e, com o tempo, começamos a conhecer nossos dons, o que nos alegra e o que nos motiva, assim como os aspectos da nossa personalidade que precisamos trabalhar. Expliquei ao Benny que o papai era muito bom em jogar bola, mas que ele só se tornou tão bom assim depois de anos de treino e dedicação. A mamãe é defensora do meio ambiente, o Jack é um excelente jogador de futebol, a Vivi é a líder das amigas dela, e você, Benny, é um artista e cantor maravilhoso. Benny pareceu feliz em ouvir aquilo, mas sei que ainda haverá muitas outras conversas como essa.

Na verdade, no ano passado, enquanto eu preparava o café da manhã, o Benny, que estava sentado à mesa, perguntou, do nada: "Mãe, o que é uma celebridade?" Demorei um pouco — onde será que ele tinha *ouvido* essa palavra? — mas, por fim, respondi: "Celebridade é alguém que trabalha num emprego que tem mais visibilidade que outros empregos. Médicos, dentistas, professores, agricultores — todos têm um trabalho importante." "O papai", lembrei a ele, "tem um trabalho de muita visibilidade jogando para um time profissional de futebol americano com jogos que passam na televisão aos domingos. Isso não significa que as pessoas que fazem esse tipo de trabalho sejam mais importantes", continuei. "Só quer dizer que o que elas fazem tem mais *visibilidade.*" Benny pareceu aceitar essa explicação — *ah, ok, mamãe* — mas aquilo me fez pensar sobre o que ele talvez estivesse ouvindo sobre o Tom e sobre mim na escola e que não nos contava. Mais tarde falei para o Tom que era importante conversarmos com o Benny sobre o trabalho do papai e da mamãe. Já era hora. Então conversamos. Tom contou ao Benny que trabalha duro e lembrou a ele que foi um dos últimos a ser escolhido no *draft* da NFL no ano 2000, quando estava saindo do nível universitário para jogar na liga profissional. *Nem sempre fui bom nisso*, disse Tom. *Eu estudei. Treinei e então fui ficando cada vez melhor no que fazia. Benny, saiba que, mesmo sendo um garoto de 8 anos, quanto mais você se dedicar a alguma coisa, melhor você vai se sair nela*. Em resposta à pergunta que Benny não fez, mas que deve ter pensado — "Como as pessoas sabem o nome do meu pai?" —, Tom disse a ele que as pessoas sabem seu nome, e gostam dele, porque gostam do que ele faz, ou porque são apaixonadas por esportes. Mas isso não significa que realmente o *conheçam*, não do jeito que a nossa família o conhece.

Pense nas palavras que outras pessoas lhe disseram. Essas palavras tiveram o poder de lhe magoar, inspirar, motivar, assustar, consolar, alegrar, de fazer com que você duvidasse de si — ou fizeram você se sentir compreendido, valorizado e amado. Como a maioria das pessoas, já usei palavras tanto de forma positiva quanto negativa. Já disse coisas com raiva e falei palavras com amor. Na maior parte do tempo, tento manter um tom emocional equilibrado, mas ainda assim já disse coisas que gostaria de não ter dito. Estou longe de ser perfeita, mas a boa notícia é que continuo tentando e realmente aprendo com meus erros. De novo, para que estamos aqui na Terra se não para aprender? É importante lembrar que toda vez que você se trata de um jeito ofensivo ou muito crítico, está apenas se prejudicando. A mudança não vem do excesso de críticas nem de se colocar para baixo. Vem da inspiração, do desejo de querer fazer melhor, de tentar de novo, de dar o máximo de si. Quando você aprendeu a andar, saiu correndo na mesma hora ou foi logo subindo numa escada rolante? Não, você deu um único passo. Talvez você tenha tropeçado e caído. Você se levantou de novo. Da vez seguinte, deu dois passos. Depois três. *É assim* que todos nós aprendemos a andar. É assim também que aprendemos sobre nós mesmos e sobre como levar a vida.

Sem dúvida, minhas palavras mais negativas foram ditas para as pessoas mais próximas de mim, minha família, principalmente minhas irmãs. Infelizmente, quem faz parte da família sabe onde mais dói em cada um e com frequência pode acabar dizendo da boca pra fora palavras que, sem querer, causam feridas emocionais. Eu me lembro de uma briga que tive com a Pati pelo Skype, embora tenha esquecido os detalhes — tinha alguma coisa a ver com eu achar que a Pati estava sendo muito controladora e desrespeitosa. Fiquei com muita raiva naquele momento, na verdade nem sabia direito o que estava dizendo — as palavras jorravam da minha boca sem que eu conseguisse impedir. Comecei com, *Bem, então, deixa eu lhe falar o que penso a seu respeito!*

Minha intenção era magoar a Pati, e foi o que fiz. Afinal de contas, ela não tinha me magoado primeiro? No silêncio que se seguiu, minha irmã gêmea ficou sem palavras. E eu também. Na mesma hora senti remorso. Eu tinha pegado muito pesado. A ligação foi encerrada. Nós duas desligamos nos sentindo péssimas. Não consegui dormir naquela noite. Ficava pensando em como eu tinha sido idiota. Amo todas as minhas irmãs. Por que eu tinha sido tão má? De repente, minha justificativa — *Mas foi a Pati que começou! Ela começou!* — pareceu tão ridícula. Eu poderia ter lidado com a situação de tantas outras maneiras, como dizer: *Sinto muito que você pense isso de mim*, ou *Por que não conversamos de novo amanhã?* Eu não precisava ter ofendido a minha irmã, mas foi o que fiz, e passei os dias que se seguiram extremamente chateada.

Como pedimos desculpas para alguém que amamos e que magoamos profundamente? Alguns dias depois, quando a Pati e eu voltamos a conversar, as primeiras palavras que saíram da minha boca foram *Me desculpa*. Pati me agradeceu e aceitou minhas desculpas, mas, nas semanas que se seguiram, havia sem dúvida um clima estranho entre nós. Sabia que era culpa minha. Não tive discernimento suficiente para acertar o tom da conversa e não agi com amor e respeito, que é como gosto que as outras pessoas *me* tratem.

Desde então já houve situações em que fiquei com raiva, mas aprendi a parar e refletir antes de falar. Com certeza isso é fruto de um trabalho diário em que observo continuamente meus pensamentos e minhas ações. Tom e eu não discutimos muito, mas, às vezes, quando sinto a frustração crescer dentro de mim — ela vai aumentando, aumentando —, me dou conta do que está acontecendo. Em vez de reagir de um jeito do qual vou me arrepender depois, me lembro de respirar. Então falo para o Tom que é melhor conversarmos mais tarde e me retiro do ambiente. A meditação tem sido essencial no controle dos meus impulsos. Penso na minha raiva como uma visitante, e posso ver seu potencial destrutivo, então tomo a decisão consciente de não deixar que ela se instale. Quando Tom e eu ficamos frente a frente de novo, podemos retomar o assunto sobre o qual conversávamos de uma maneira amorosa e respeitosa, e é o que sempre fazemos.

Às vezes, em vez de reagir verbalmente, escrevo uma carta. Meu pai nos ensinou que sempre que nos sentimos confusas ou em dúvida sobre alguma coisa, devemos procurar um lugar tranquilo e colocar nossos pensamentos e sentimentos num papel. *Quando terminar*, disse ele, *leia e você verá as coisas com mais clareza*. Certa vez, quando o Tom e eu estávamos passando por um período complicado, recebi um e-mail dele que me magoou. Na época, ele estava em Boston, e eu, viajando. Em vez de partir para a retaliação e enviar para ele um e-mail cheio de ressentimento, peguei uma caneta e uma folha de papel e escrevi durante uma hora sobre meus pensamentos e minhas emoções, sobre as coisas que me deixaram com raiva e as que me deixaram frustrada — tudo o que estava sentindo naquele momento. Não me censurei. Foi sem parar, sem filtros. Quando terminei, fiquei chocada ao ver que tinha escrito quase três páginas. Também senti um grande alívio.

É muito mais proveitoso, para mim, quando escrevo meus pensamentos à mão. Fica tudo entre a caneta, o papel e eu. Escrever à mão também elimina o perigo de clicar em *Enviar* num impulso e depois não poder mais apagar o e-mail ou a mensagem. As palavras à minha frente eram sem censura, honestas e intensas — extremamente intensas, na verdade. Só de colocá-las no papel me senti mil vezes melhor. No fim das contas, jamais enviei a carta. Deixei passar um dia. Depois li o que tinha escrito mais algumas vezes. Naquela noite, enrolei a carta e a queimei. Foi como se, ao escrever, minha turbulência tivesse saído de dentro de mim, passado pela minha mão e ido parar na folha de papel — e então o fogo queimou tudo. Na manhã seguinte, enviei um e-mail curto ao Tom dizendo que só queria manter em minha vida relacionamentos que fossem baseados em amor e respeito e que, quando ele estivesse pronto para conversar comigo de um jeito amoroso e respeitoso, eu estaria lá, pronta para ouvi-lo. Um dia depois, foi exatamente isso que fizemos.

Um dos grandes benefícios do autoconhecimento é o acesso que nos dá à nossa voz interior. Todos temos uma, mesmo quando às vezes a ignoramos ou ficamos alheios à sua existência. Nossa voz interior é muito pessoal e singular. Sempre acreditei que seu propósito é nos proteger, nos ajudar a permanecer fiéis aos nossos valores e nos encorajar a fazer a coisa certa. Acredito que cada um de nós tem um ser mais evoluído dentro de si. Com frequência, se pararmos para ouvir nossa voz interior, vamos nos dar conta de que esse "eu" mais elevado tem as respostas para nossas perguntas.

Quando era mais nova, minha avó disse para mim e minhas irmãs que cada uma de nós tinha sua própria estrela lá no céu. *Como sei qual estrela é a minha?*, perguntei a ela. *É aquela que brilha mais forte para você*, respondeu minha avó. Não importa como você chama sua voz interior, ou que forma ela assume — sua estrela, seu anjo da guarda, seu criador, seu Deus, seu "eu" superior —, é sempre quem está cuidando de você.

Meus avós maternos na frente da casa deles — meu lugar favorito para passar as férias quando era criança — com minhas irmãs e eu, em 1982.

Sua voz interior está sempre ali para lhe lembrar de que você não está só. O objetivo dela não é garantir que a gente vá evitar riscos ou nunca se divertir. Às vezes ela nos leva a correr riscos. Hoje, antes de tomar qualquer decisão, consulto minha voz interior. Ela precisa me sinalizar baixinho, *Sim* (já passei por maus bocados quando não parei para refletir e escutá-la). *Preciso sentir no meu coração que esta é a coisa certa a fazer*, antes que eu siga em frente.

À medida que nosso autoconhecimento se fortalece, o mesmo acontece com nossa voz interior. Hoje ainda sou relativamente jovem e não tenho o nível de autoconhecimento que espero desenvolver no futuro. Mesmo assim, percebo o seguinte: quanto mais nos conhecemos, mais fácil é descobrir no que somos bons, o que nos motiva e o que nos faz mais felizes. Como todos sabem, a vida pode ter *muitos* capítulos. Um médico pode decidir se tornar filósofo. Um bombeiro pode escolher se tornar ator, ou o contrário. E uma menina, que cresceu acreditando que seria jogadora de vôlei profissional ou que ajudaria a cuidar de cães e gatos doentes, pode se tornar uma modelo de passarela. Algumas coisas, contudo, *permanecem* iguais. Ainda amo animais, e nas raras vezes que você me encontrar atrás de uma rede de vôlei, serei a jogadora tão dedicada como sempre fui. (Se meu ombro não deslocasse todas as vezes que estou em quadra, jogaria com mais frequência, mas estou resolvendo esse problema, então em breve voltarei a me divertir e a praticar todos os esportes que adoro.)

Quando você reconhece e aprecia as coisas em que é bom, fica muito mais fácil se concentrar no que exatamente quer fazer acontecer e, o mais importante, a razão disso. Esse processo começa com você prestando atenção à sua voz interior — embora primeiro precise ter certeza de que essa voz é realmente *sua*. Não a voz que lhe diz que *você deve* fazer alguma coisa ou agir de certa maneira. Não as vozes da sua mãe ou do seu pai. Não as vozes dos seus professores. Não as vozes que são impostas pela sociedade, por seus pares ou por qualquer sistema organizado de crenças. Nem mesmo seu crítico interior, aquele que aponta todas as suas falhas. Não, *sua* voz interior é aquela que, mais do que qualquer outra, lhe oferece um tipo de *saber*. (A meditação me ajudou muito com isso.)

Admito que às vezes parece confuso, porque muitas vozes podem estar falando ao mesmo tempo. Uma pode estar dizendo uma coisa, enquanto a outra diz algo totalmente diferente. Como saber que voz seguir? Meu conselho é primeiro ficar tão em silêncio e imóvel quanto possível. Então preste atenção ao que seu corpo lhe fala. Quando você pensa no que a primeira voz está dizendo, os músculos dos ombros se contraem? Dá um frio na barriga? Agora considere o que a segunda voz está dizendo. Seu corpo fica mais relaxado e aberto? A respiração fica mais estável? Ouça seu corpo. Pergunte a si mesmo, *A voz que eu seguir vai me tirar o sono à noite — ou vou ser capaz de dormir me sentindo bem comigo mesmo?* Sigo a voz interior que me enche de paz, que me deixa dormir bem, e que me faz sentir bem comigo mesma na manhã seguinte. Se as decisões que tomo são baseadas em amor, e minhas ações refletem esse amor, então estou sendo fiel à minha voz interior. Mas houve muitas vezes em que ignorei essa voz e paguei o preço, às vezes baixo, outras alto.

Por exemplo, tenho cabelos ondulados desde pequena. Mas, quando comecei a trabalhar como modelo, cabelo liso era o que estava na moda. Então uma amiga me levou para comprar uma chapinha que alisava o cabelo, e eu a usava todos os dias. Só queria me integrar e parecer descolada, como todas as meninas ao meu redor. Aos 16 anos, quando me mudei para Nova York, de repente me vi rodeada de várias garotas que não alisavam os cabelos, e finalmente senti que já podia parar. Foi uma sensação libertadora deixar meu cabelo ser como era. É tão engraçado que hoje eu seja reconhecida justamente pela textura natural do meu cabelo.

Aconteceu outra vez quando eu tinha 14 anos e decidi me mudar para São Paulo. Achava que me conhecia muito bem. Era uma boa menina.

Meu primeiro violão. Sempre quis tocar para poder cantar junto, já que uma das minhas lembranças preferidas da infância era quando meu pai tocava para nós. Em casa, em Nova York, em 1998.

Tinha a cabeça no lugar. Sabia a diferença entre certo e errado. Não ia sair dos trilhos. Eu também me sentia protegida de alguma forma. Como se alguém ou alguma coisa estivesse sempre cuidando de mim — estava convencida disso. Antes de eu sair de casa, meus pais deixaram claro que confiavam em mim. Eles sabiam que eu era responsável e dedicada. Era boa aluna, a capitã do time de vôlei e uma boa ajudante em casa. Eles também sabiam que eu jamais faria algo para decepcioná-los. Além disso, um mês antes, meu pai tinha escrito uma longa carta para a Elite, minha primeira agência, dizendo que estava confiando sua filha a eles.

Levei só uma mala e uma mochila com tudo o que tinha, meu pai me colocou num ônibus e me deu 50 reais para o táxi quando chegasse a São Paulo. Vinte e sete horas depois, o ônibus entrou num dos quatro terminais rodoviários imensos de São Paulo. Quando saltei do ônibus, minha primeira reação foi: *Uau*. Havia mais pessoas naquela rodoviária do que em toda Horizontina. Foi impressionante.

Perambulei pelo terminal por um tempo, arrastando minha mala, só olhando as pessoas e as placas. Meu pai tinha me dado instruções precisas. Quando eu chegasse a São Paulo, era para usar o dinheiro que ele tinha me dado e pegar um táxi até o apartamento das modelos. *Imediatamente*. Minha voz interior não podia ter sido mais clara ou estar mais de acordo que essa era a coisa certa a fazer. Na verdade, era a *única* coisa a fazer. *Pegue um táxi. Vá para o apartamento das modelos*. Foi ali que me dei conta de outra voz: *Gise, se você está planejando ir aos* castings, *precisa usar as roupas certas*. Eu não tinha uma única calça jeans que me servisse direito. Tudo que tinha na mala era o uniforme da escola e algumas camisas de malha e calças que havia herdado das minhas irmãs mais velhas. Como podia ir aos testes daquele jeito? Nunca tinha me importado com roupas antes, mas, agora, cercada de pessoas da cidade grande, bem-vestidas, que pareciam saber o que estavam fazendo e aonde estavam indo, senti a necessidade de dar uma melhorada no visual. Por que eu tinha que seguir minha voz interior?

Enquanto estava ali parada no meio da rodoviária, bolei um novo plano. Se eu pegasse o metrô até o apartamento das modelos, podia usar o restante do dinheiro para comprar algumas roupas que coubessem direito em mim e que seriam *minhas* de verdade.

Naquela época — 1995 — quase ninguém tinha celular. Não podia ligar para o meu pai e explicar o novo plano para ele, e, mesmo que pudesse, provavelmente não teria feito isso. Tinha saído de casa, estava me sentindo independente, dona do meu nariz. Segui as placas até o metrô, comprei um bilhete e entrei num vagão lotado com a mala ao meu lado e a mochila nas costas. (Detalhe, essa foi a primeira vez em que peguei um metrô na vida, nunca nem tinha visto um antes).

São Paulo é uma cidade enorme. É tão grande que se pode levar três horas ou mais para ir de uma extremidade a outra. Pedi informações para as pessoas, troquei de linha três ou quatro vezes e, quando cheguei à estação mais próxima do apartamento das modelos, estava me sentindo incrivelmente inteligente e orgulhosa de mim mesma. Tinha sido mais esperta que a voz na minha cabeça e encontrado a *minha* voz. Mas, quando tirei a mochila das costas para pegar a carteira, ela tinha sumido.

Eu havia fechado a mochila, mas agora a parte de cima estava aberta. Minha carteira com o dinheiro dentro não tinha caído; alguém a tinha roubado. Como se estivesse vivendo um pesadelo, saí da estação do metrô e fui para a calçada. As ruas estavam quentes e tinham um cheiro ruim. Eu me agachei sobre a mala e comecei a chorar. Não era só pelo dinheiro perdido que eu estava triste, embora isso já fosse ruim o suficiente; é que agora também não tinha mais carteira de identidade. Graças a Deus ainda tinha o pedaço de papel com o endereço e o número de telefone do apartamento das modelos, que estava no meu bolso. Mas não tinha dinheiro nenhum para fazer uma ligação no telefone público. Uma mulher que passava me viu chorando e, quando contei o que tinha acontecido, ela me deu uns trocados para eu ligar para os meus pais. Meu pai atendeu o telefone. *Oi, pai*, falei. *É a Gise*, e comecei a chorar de novo.

Meu pai ficou furioso comigo, e quem poderia culpá-lo? Tenho certeza de que ele deve ter ficado extremamente preocupado também. Eu tinha ignorado minha voz interior — sem falar na voz exterior do meu pai —, e o resultado disso foi que tomei uma decisão estúpida. Fiz uma coisa que deixou meus pais angustiados. Eles tinham confiado em mim, e eu havia decepcionado os dois. Mesmo querendo me ajudar, estavam a muitos quilômetros de distância. Felizmente, tinham sobrado moedas suficientes para eu ligar para a supervisora do apartamento das modelos. Eu estava perto do metrô, falei. Ela poderia me dizer como chegar até lá a pé, por favor?

Levei quase uma hora para chegar ao apartamento. Fazia um calor escaldante em São Paulo em janeiro, e arrastei minha mala por dez quarteirões imensos, com a cara vermelha, suando e me sentindo um fracasso, embora felizmente a maior parte do caminho pela rua Teodoro Sampaio fosse ladeira abaixo. Ninguém pareceu notar que eu estava chorando, e me lembro de como aquilo pareceu estranho, já que em Horizontina as pessoas teriam parado e perguntado o que havia de errado e se elas podiam ajudar. Por fim, cheguei ao apartamento das modelos, conheci a supervisora, encontrei minha cama e me acomodei.

Daquele ponto em diante, as coisas melhoraram. Outras três meninas estavam morando lá, e, embora fossem um pouco mais velhas, com 16 e 17 anos, nós nos demos bem. Eu dormia num beliche. As primeiras noites foram assustadoras, já que era a primeira vez que dormia num quarto sem minhas irmãs. A agência me dava um adiantamento para poder pagar meu aluguel e para minhas despesas básicas (que depois era descontado dos trabalhos que eu fazia). As outras meninas gostavam de mim em parte porque eu estava sempre limpando o apartamento. (Mesmo naquela época eu não conseguia evitar.)

Fui até uma loja de roupas e comprei uma calça jeans nova e uma camisa de malha branca, que usava todos os dias e lavava nos fins de semana, e aquele se tornou meu novo uniforme para todos os *castings*. Comprei um mapa e

O que posso dizer, adoro fazer faxina! No apartamento das modelos em Tóquio, em 1995.

comecei a me organizar em relação aos horários e locais dos *castings*. Passava horas analisando que metrô ou ônibus eu precisava pegar para chegar aqui e ali. Logo já tinha memorizado quase todas as linhas de ônibus e de metrô da cidade. Depois de um mês, conhecia São Paulo como a palma da minha mão. Sempre que chegavam novas meninas ao apartamento das modelos, eu as colocava debaixo da minha asa e explicava o melhor jeito de circular pela cidade.

Eu tinha ignorado minha voz interior — a voz que me dizia a coisa certa a fazer — e, quando não a escutei, acabei tomando a decisão errada. Às vezes, minha voz interior se manifesta como uma sensação. Se consigo respirar profundamente e devagar, então sei que está me fazendo bem. Se minha respiração fica curta ou irregular, é um bom indicativo de que algo está errado. Quando decidi usar os 50 reais que meu pai tinha me dado para comprar roupas novas para estar melhor apresentável quando fosse aos *castings*, achei que estava sendo esperta, mas senti que aquilo não era certo. Senti na minha cabeça, senti no meu corpo. Mas, naquele momento, escolhi não ouvir a minha voz interior. A sabedoria deste sentimento interior, desse *saber*, ficou ainda mais clara dez anos depois, em 2005, quando estava decidindo se devia ou não continuar trabalhando para a Victoria's Secret.

Eu tinha 19 anos quando a empresa me ofereceu um contrato de cinco anos. Quando me fizeram essa proposta, a *Vogue* tinha acabado de me eleger Modelo do Ano. Eu me lembro de ir para a cerimônia de premiação com uma camisa hippie, sandálias Birkenstock gastas e a calça jeans de sempre: larguinha, rasgada e confortável. Quando Anna Wintour me viu, e perguntou se eu tinha alguma coisa para vestir, respondi, *Tenho, isto aqui*, então ela imediatamente pediu a Grace Coddington, a diretora de criação da *Vogue*, que encontrasse uma roupa melhor para mim, mas nunca vou esquecer as expressões de espanto das duas por causa da roupa que eu estava usando. Naquela época, eu era modelo de moda, e a Victoria's Secret era uma empresa de catálogo. Em 1999, havia uma forte separação entre os dois segmentos. Ou você desfilava para Alexander McQueen, Versace, Dolce & Gabbana, e outras grifes de alta-costura, ou trabalhava com marcas mais comerciais. Não havia uma mistura. Mas, quando a Victoria's Secret me falou sobre os termos do contrato, fiquei muito feliz! Trabalhar com a Victoria's Secret me traria segurança financeira pela primeira vez na vida e um emprego estável por cinco anos. Não teria mais que fazer cem desfiles por ano. Nada de viajar de uma cidade para a outra num intervalo de poucos dias. Não precisaria mais me preocupar com a escassez de ofertas de trabalho ou com meu futuro financeiro.

Nos primeiros anos, eu me sentia confortável em desfilar e posar de lingerie, mas, com o passar do tempo, fui ficando cada vez menos à vontade em ser fotografada desfilando pela passarela usando só um biquíni ou uma lingerie fio dental. Me dê uma cauda, uma capa, umas asas — por favor, qualquer coisa para cobrir meu bumbum! Com o passar do tempo, fui me sentindo mais e mais desconfortável. Mas adorava as pessoas com quem trabalhava lá, principalmente meu querido amigo, que virou cupido, Ed, que tinha me contratado e quem, muitos anos depois, promoveu um encontro às cegas entre mim e o Tom.

Em 2006, graças a uma extensão do contrato, a parceria com Victoria's Secret completou sete anos. Meu trabalho com eles ainda representava 80% da minha renda anual. A empresa me disse que queria estender o contrato por mais dois anos.

Para todos ao meu redor, a resposta deveria ser *sim*. A Victoria's Secret e eu tínhamos uma longa relação de confiança e de benefício mútuo. Mas eu não conseguia decidir se ficava ou não. Quando se trabalha para uma empresa do tamanho da Victoria's Secret, desfilar é só uma parte das atribuições do cargo. Há também muita divulgação. Inaugurações de lojas e presenças VIP. Anúncios de televisão e de revista. Viagens de costa a costa. Entrevistas de bastidores. Sessões de fotos para o catálogo e para o site. Sempre que a Victoria's Secret lançava uma nova linha de lingerie, uma nova fragrância ou um catálogo com um tema especial, era meu trabalho ajudar a promovê-los. Se a empresa me mandava para uma praia remota na ilha Virgem Gorda para fotografar a mais recente linha de moda praia, um programa de celebridades da TV também estaria lá para registrar cada passo que eu dava. Com certeza eu me sentia grata pela oportunidade e pela segurança financeira que a empresa havia me proporcionado, mas estava num momento diferente da minha vida e não tinha certeza se queria continuar trabalhando lá. Alguns meses depois, ainda não tinha tomado a decisão final, mas tinha chegado a hora de decidir.

Cada vez que eu pensava na decisão que tinha que tomar, sentia um aperto no estômago. Se renovasse o contrato, isso significaria que teria que continuar a viver minha vida segundo os termos da empresa. Não havia nada que pudesse fazer quanto à visão deles — a Victoria's Secret é uma corporação imensa, eles trabalham sempre na velocidade máxima —, e também não podiam mudar a minha visão, o modo como eu me sentia. Naquela noite, antes de dormir, rezei, *Deus, por favor, me mostre o caminho. Me dê um sinal claro. Devo sair? Devo ficar? O que devo fazer?* Deixar a empresa era a coisa certa a fazer? Deveria me manter fiel às minhas crenças? Estaria sabotando minha carreira? Na manhã seguinte, não estava nem um pouco mais perto de chegar a uma decisão do que na noite anterior. Meditei por meia hora, fazendo as mesmas perguntas para mim mesma várias vezes. Cada vez que fazia isso, sentia um aperto no estômago.

Olhando para trás, acho que estava esperando que outra pessoa tomasse a decisão por mim. Essa outra pessoa, é claro, era minha voz interior — ou minha estrela, meu anjo da guarda, ou Deus. Hoje falo para o Benny e a Vivi: *Quando vocês rezarem, procurem sua estrela. Rezem todas as noites para o seu anjo da guarda. Talvez amanhã vocês tenham uma prova na escola — bem, então, peçam ao anjo da guarda que os ajude e os proteja. Se os anjos são mensageiros de Deus, conversem com eles, ou vão direto ao topo e falem com Deus!* Eu lembro ao Benny e à Vivi que eles podem rezar para o céu lá fora, dentro de uma igreja, ou na caminha deles — a qualquer hora, em qualquer lugar.

Eu me senti guiada, e a ideia surgiu num lampejo. Dobrei dois pedacinhos de papel e os coloquei dentro de uma xícara vazia. Num deles, tinha escrito a palavra *sim* — o que significava que ia continuar na empresa. No outro, tinha escrito a palavra *não* — o que significava que ia deixar a empresa. Fechei os olhos e criei uma intenção: seja lá qual papelzinho escolher, será para o meu bem maior, e será a decisão correta. Estendi a mão e peguei o papel que dizia *não*. Foi uma confirmação para mim.

Não era só a resposta que, inconscientemente, eu queria ouvir. Também era a resposta que meu *corpo* queria ouvir e que, acredito, estava tentando me dizer havia dias. Daquele momento em diante, fiquei em paz. Acreditei, confiei e aceitei que tinha tomado a decisão correta — ou pelo menos a melhor decisão para mim. O aperto no estômago desapareceu e não voltou mais. Naquela manhã liguei para minha agente e para a equipe da Victoria's Secret e agradeci demais a todos. Eu me sentia extremamente grata por tudo o que eles tinham feito por mim nos últimos sete anos. Tinha sido uma ótima oportunidade e uma jornada incrível. Mas eu não ia renovar o contrato. (Mesmo que essa decisão tenha sido difícil, pois esse trabalho significava 80% da minha renda naquela época, tinha confiança de que, ao fechar essa porta, daria oportunidade para outras se abrirem. E foi exatamente isso que aconteceu.)

Às vezes não há uma explicação clara de *por que* uma coisa parece certa — mas acredito que você ainda precise seguir o que sua voz interior está lhe dizendo. No fim das contas, consegui usar o tempo e a energia que colocava naquele trabalho e nas viagens para direcioná-los às coisas que se tornariam duas das maiores bênçãos da minha vida: meu casamento e meus filhos.

Quanto mais confiamos em nossa intuição, mais forte ela se torna. Quando comecei a meditar, percebi que podia deixar de lado todo estresse e ansiedade para encontrar um nível de paz que não conhecia antes e que descobri dentro de mim. Ainda uso a meditação para chegar a esse lugar, mas também a utilizo para me guiar e me mostrar o caminho a seguir sempre que fico confusa e preciso de clareza. Descobri que, se tenho paciência e dou ao processo tempo e espaço suficientes, o próximo passo sempre ficará mais claro.

Manhã de sábado do jeito que eu mais amo! Três anjinhos em Nova York, em 2017. Jack está atrás, Benny no meio e Vivi na frente.

É por isso que, quando alguém me pede um conselho, eu logo digo: *Fique em silêncio, encontre sua voz interior e escute o que ela diz com a maior atenção possível.* Evite levar tudo para o lado pessoal. As pessoas vão dizer coisas para você — e sobre você —, mas tente não deixar essas palavras lhe atingirem. O que as pessoas dizem não tem quase nada a ver com você, e quase tudo a ver com elas. Em vez disso, pergunte: *O que eu realmente quero? E por quê?* Tenha a maior clareza possível quanto às suas intenções.

Encontre sua voz interior, ouça-a com atenção e continue aperfeiçoando a prática. Quanto mais você a escuta, mais forte ela se torna. Permaneça fiel à sua voz interior. Ela vai fazer com que você se lembre de que nunca está só. E, se a escutar e confiar nela, eu lhe garanto que ela nunca vai lhe conduzir para um mau caminho.

Minha amiga e professora de ioga Cris praticando cânticos e meditação na Costa Rica, em 2008.

5

Onde você focar sua atenção é onde colherá resultados

Todo fim de ano, na véspera de Ano-Novo, faço duas listas que, juntas, resumem o que fiz nos últimos 12 meses. A primeira descreve todas as coisas que me encheram de orgulho — aprender uma habilidade nova, aprimorar um talento antigo, ser uma mãe boa e presente, aprender um esporte ou uma atividade que antes me intimidava, lançar um projeto social ou ambiental, ou celebrar os resultados positivos de um que já havia lançado. A segunda é dedicada às áreas em que ainda preciso melhorar. Nessa noite, gosto de ficar sentada em silêncio por uma hora. E medito sobre as duas listas. Em que áreas da minha vida fui bem? Em quais delas não dei conta, e por quê? As áreas para as quais dei mais atenção — vida conjugal, filhos, trabalho, rotina de exercícios e de alimentação, prática espiritual — estão em equilíbrio, ou estou exagerando em alguma enquanto negligencio outra? Também uso a meditação de Ano-Novo para estabelecer as intenções e os objetivos para o ano seguinte. Vou querer cortar o açúcar (de novo) por um mês? Tem alguma coisa que não fiz e que sempre quis fazer? O que me assusta

Praticando ioga na Costa Rica, em 2008.

(que, para mim, significa que é algo que eu deva tentar superar)? Como posso me tornar uma pessoa melhor, uma amiga melhor, uma mãe melhor, melhor em *tudo* o que faço?

Se parece que estou me monitorando ou contando pontos, bem, acho que estou mesmo. Esse exercício da lista de Ano-Novo é uma forma de autoanálise e uma boa maneira de medir meu progresso. É uma oportunidade de me sentir bem com relação a qualquer pequena vitória que tive, e, ao mesmo tempo, de me lembrar das áreas em que ainda posso melhorar. Não se trata de um momento para a autocrítica. Se cometo esse erro, reformulo a reflexão como uma oportunidade de aprender algo novo. Também não é hora de me cobrir de elogios. As grandes perguntas que sempre me faço são: *Quão bem ou mal usei o tempo que foi me dado nesse ano que passou? Aproveitei ao máximo as horas, os dias, as semanas e os meses que me foram dados? Priorizei o que é mais importante para mim e dediquei a isso minha atenção plena?*

O aprendizado: *Onde você focar sua atenção é onde colherá resultados* sempre funcionou para mim. É um aprendizado muito importante principalmente numa época em que estamos, mais do que nunca, saturados de informação. É preciso um esforço sobre-humano para abrir caminho em meio à sobrecarga de demanda que nos rodeia, para que possamos direcionar a atenção para as coisas e metas que mais nos beneficiam e nos ajudam a crescer. Mas vale o esforço.

O que precisamos entender é que está em nossas mãos a escolha de para onde direcionamos nossa atenção. Por experiência própria, sei como é fácil permitir que outras pessoas nos definam ou limitem nosso potencial. Se eu tivesse acreditado piamente nos *bullies* da minha escola ou nos profissionais da indústria da moda que criticavam minha aparência, a insegurança teria me paralisado. Em vez disso, concentrei a atenção ainda mais naquilo que queria alcançar. Devemos realmente permitir que outras pessoas nos digam quem somos, para onde estamos indo e o que somos capazes de realizar? Aquelas pessoas não faziam a mínima ideia de que as características que estavam ridicularizando em mim eram exatamente as que tornariam possível, para mim, trabalhar nesta área em que venho tendo sucesso há 23 anos!

Todos precisamos ter cuidado com onde escolhemos colocar nossa atenção — e nossa atenção sempre começa com nossos pensamentos. Quando acreditamos que uma coisa é verdade, mais perto ela fica de se tornar verdade. Se temos uma opinião desfavorável a nosso próprio respeito, cada interação que tivermos será afetada por essa crença. Se enfrentarmos situações com confiança, nossa autoestima vai causar um impacto em todos ao nosso redor.

Quando criança, percebi que não tinha controle algum sobre meu corpo em crescimento. O que eu poderia fazer — serrar as pernas pela metade para deixá-las mais curtas? Mas podia transformar uma característica de que não gostava em algo de que gostasse. Virar uma ótima jogadora

Eu novinha.

de vôlei transformou minha altura numa vantagem. Além disso, podia ser uma boa aluna e focar onde eu poderia ter uma influência positiva. Mas essa mentalidade significava que tinha que superar meus próprios medos e inseguranças — e isso ficou bem evidente no início da minha carreira como modelo. A indústria da moda sabia ser cruel na forma como tratava as meninas. Para alguns estilistas, as modelos quase nem eram humanas. Éramos cabides. Lembro que, aos 15 anos, consegui um trabalho como modelo de provas, no qual tinha que experimentar os *looks* em potencial para um desfile. Ficava lá em pé quase nua, só de calcinha, me cobrindo do melhor jeito que podia com os braços cruzados sobre os seios enquanto alguém ia buscar as roupas. Às vezes demoravam um tempão, me deixando lá tremendo. Ninguém pensava em me trazer um roupão, nem que eu pudesse estar me sentindo constrangida, vulnerável, ou com frio. Como era novata na carreira de modelo e não tinha muita noção deste meio, achava que era assim que as coisas funcionavam.

Meu primeiro grande momento aconteceu em Londres. Foi em 1998. Tinha 18 anos. Desde meados dos anos 1990, a tendência no mundo da moda era conhecida como *heroin chic* — meninas esqueléticas, pálidas e de aparência andrógina. Eu não tinha nada a ver com aquele estereótipo —

era saudável, bronzeada, atlética e tinha seios grandes. Morava num apartamento de modelos no centro de Londres onde a maioria das meninas fumava, bebia, usava drogas e tinha piercings e tatuagens. Depois de três semanas e 43 *castings*, a maioria dos responsáveis por contratar as modelos para os desfiles mal olhavam para mim. Não tinham o menor interesse nos trabalhos que eu havia feito no Brasil, nem num ensaio fotográfico em que o cabeleireiro e o maquiador fizeram o melhor que puderam para me deixar mais andrógena e descolada. A onda *heroin chic* foi provavelmente uma reação às modelos saudáveis e atléticas que dominaram o mundo da moda no começo dos anos 1990. Eu não sabia que o pêndulo estava prestes a mudar de direção e que eu estava numa boa posição para tirar vantagem dessa mudança.

Um dia a agência me enviou para o *casting* do desfile da coleção de primavera/verão do estilista britânico Alexander McQueen. Lee, como os amigos o chamavam, tinha sido estilista-chefe da Givenchy antes de criar sua própria marca, e já nessa época era considerado um dos estilistas mais criativos e inovadores de seu tempo, conhecido por sua abordagem dramática e incomum em relação à moda. Quando cheguei lá, me juntei a centenas, talvez até milhares de outras garotas numa fila que se estendia e dava a volta no quarteirão. Uma a uma, atravessávamos um longo corredor que levava a uma sala onde Lee estava sentado num sofá. Ele me pediu que colocasse um par de sapatos de salto muito altos e uma saia lápis bem justa e então me pediu que desfilasse para ele. Quando terminei, ele disse "Obrigado", e nada mais. Eu não tinha ideia de como havia me saído — e, alguns dias depois, quando a agência ligou com a notícia de que eu tinha sido aprovada, quase não acreditei.

Na noite do desfile, lembro-me de ter ficado encucada com o fato de ninguém ter me chamado para provar as roupas. Será que tinham estimado minhas medidas pela saia que havia usado no *casting*? Eu tinha participado de alguns desfiles menores em Nova York, mas esse era meu primeiro grande desfile internacional, e não fazia ideia de como as coisas funcionavam. Naquela noite, cheguei ao local do desfile com um frio na barriga. Sentei-me numa cadeira enquanto o cabeleireiro puxava todo meu cabelo para trás e colocava uma peruca preta em mim, e a maquiadora grudava longas penas pretas nos meus cílios. Estava certa de que em algum momento alguém chegaria e pediria que eu provasse as roupas. Naquela época — eu tinha acabado de completar 18 anos — meu inglês ainda era limitado. Sabia falar "good morning" e "good afternoon", "hi, how are you?" e "I'm fine!" e conseguia entender algumas coisas que me diziam, mas na maior parte do tempo eu só fazia que sim com a cabeça e sorria muito, já que a última coisa que queria era parecer burra.

Antes do desfile, estava um caos nos bastidores, com muito estresse e gritaria. Logo chegou a hora de todas as modelos, incluindo eu, colocarem as roupas. Deram menos de um minuto para nos vestirmos. Eu tinha três looks naquela noite, três roupas — uma coisa prateada de alcinha que parecia um maiô mas com correntes pendentes, um vestido e uma saia lápis. Nenhum deles tinha sido ajustado em mim. Desfilei com os dois primeiros sem qualquer problema, embora fossem os trajes mais reveladores que já havia usado numa passarela. E então chegou a vez da saia lápis.

Nos bastidores, durante um desfile, é sempre um corre-corre, tudo na maior pressa. Pressa para trocar de roupa. Pressa para retocar cabelo e maquiagem. Pressa para entrar na fila e voltar para a passarela. Alguém me deu a saia e eu a vesti. Foi difícil enfiar as pernas nela, era muito justa. Não bastava o salto super alto, quase impossível de caminhar, agora tinha essa saia que mal deixava eu mexer as pernas. Ainda estava esperando pela parte de cima, e, no meu inglês capenga, por fim consegui perguntar a alguém onde estava. "*Não tem* parte de cima", veio a resposta. E eu pensei: *Como assim não tem parte de cima?*

Comecei a chorar. Não tinha ideia do que fazer. Só pensava no quanto meus pais ficariam decepcionados e envergonhados. Tentei conter as lágrimas, mas elas simplesmente continuaram rolando, e as penas pretas grudadas nos cílios começaram a se descolar. Dava para ouvir a pesada batida eletrônica da música vindo da passarela. Por um segundo pensei em ir embora, em fugir. Por nada nesse mundo eu sairia para desfilar sem a parte de cima da roupa. Mas, se fosse embora, sabia que provavelmente jamais me dariam outra oportunidade. As pessoas me chamariam de antiprofissional — isso se os responsáveis pelos *castings* se dessem ao trabalho de me chamar de volta para qualquer outro trabalho. Mas, no fim das contas, era o meu corpo, de mais ninguém.

Assim que Val, a maquiadora, viu o que estava acontecendo, disse que ia *pintar* um top em mim usando maquiagem branca — o que começou a fazer. Ficou *mesmo* parecendo um top, ainda bem. Val me disse que tinha ficado lindo e falou que a passarela estava tão escura que ninguém ia notar que eu não estava usando uma blusa branca fininha. Se Val não tivesse aparecido naquela hora, duvido sinceramente que teria desfilado. Eu me lembro de ter pensado que, se alguém me fotografasse, pelo menos meus pais não conseguiriam me reconhecer com aquela peruca preta.

O desfile de Alexander McQueen, em 1998.

Num dado momento, percebi que uma garota, depois outra, não, peraí, *todas* as garotas estavam voltando para os bastidores completamente molhadas. Levei alguns segundos para perceber o que estava acontecendo. Eu já não conseguia nem me mexer direito com a saia apertada e o salto alto. Agora eu teria que entrar na passarela com um top pintado no corpo e, ainda por cima, estaria *chovendo*?

Aquela foi provavelmente a noite em que passei a me dissociar, a começar a pensar na Gisele modelo como *ela*. Porque a menina que finalmente surgiu na passarela não era ninguém que eu conhecia, ela era muito mais confiante e forte que eu. Poucos minutos antes, eu chorava tanto que as lágrimas estavam borrando toda a maquiagem. Eu era uma boa menina. Era meio moleque. Era alguém que sentia vergonha de ter seios grandes desde a puberdade. Eu era a garota que morria de medo de que a família ficasse com vergonha dela e que nunca mais falasse com ela. Eu estava apavorada. (Graças a Deus a internet não era tão popular assim em Horizontina naquela época — senão tenho certeza de que meus pais teriam me mandado voltar para casa.)

Treinei meu olhar para focar numa única luz no fim da passarela — e entrei. Naquela noite, ninguém viu a garota de 18 anos tímida, assustada, envergonhada e insegura. Em vez disso, viram uma mulher forte e confiante desfilando na passarela. *Ela* conseguiu desfilar com um salto absurdamente alto sobre um piso extremamente escorregadio. *Ela* não cometeu um erro sequer. *Ela* não caiu. *Ela* deu a impressão de que não estava nem aí para nada. A chuva fez a maquiagem preta dos olhos escorrer pelo rosto, então ninguém poderia saber que ali, além da água da chuva, havia lágrimas. *Finja até se tornar verdade* — isso funciona *mesmo*! Graças a Deus a coisa toda começou e terminou rápido.

No fim das contas, participar do desfile do Alexander McQueen foi o começo da minha carreira internacional. Ele era visto como um gênio, o melhor e mais inovador estilista do seu tempo. A indústria da moda o considerava um visionário. Ele era reverenciado por cada editor e fotógrafo de moda do mercado, e muitos deles estavam na plateia naquela noite. Quando ele me selecionou para participar do desfile, minha agência me explicou como isso era importante, embora eu não tivesse a noção exata da dimensão daquilo. Durante o desfile, eu atravessei a passarela chorando, seminua, enquanto a chuva caía do teto. Relembrando agora, realmente devo ter me destacado, principalmente por ser tão diferente do look *heroin chic* ao qual todos estavam acostumados. Meus seios eram grandes, e mesmo que eu estivesse chorando, minha aparência era saudável e mais curvilínea. A indústria da moda estava *pronta* para uma mudança. Era o momento certo, e, naquela noite, eu era a modelo certa. Era diferente, e a indústria estava *pronta* para essa diferença.

A partir daquela única noite, de alguma forma, passei a fazer parte do cenário da moda mundial. De repente, muita gente queria trabalhar comigo. As pessoas começaram a me chamar de "a menina do momento". Foi fantástico, embora algumas pessoas ainda se sentissem à vontade para me criticar bem na minha cara. Depois de participar de alguns desfiles em Milão e Paris, voltei para Nova York, onde surgiram na minha vida pessoas que seriam fundamentais para a minha carreira. Três delas eram fotógrafos de moda renomados, e uma é até hoje editora de uma revista lendária. Primeiro, Mario Testino me convidou para um editorial da *Vogue* francesa. Quase na mesma semana, Patrick Demarchelier me chamou para estampar as páginas da *Harper's Bazaar*. Depois comecei a trabalhar com Steven Meisel, que não só é um fotógrafo extremamente talentoso, como um professor incrível, que me ensinou muito sobre como modelar. Um ano depois, a editora-chefe da *Vogue* americana, Anna Wintour, me colocou na capa da revista ilustrando a matéria "A volta das curvas". A *Vogue* América é considerada "a bíblia da indústria da moda mundial". Quando Anna anunciou a tendência de um novo movimento na moda — que as curvas estavam de volta — e me escolheu para ilustrar essa tendência, foi um momento crucial na minha carreira. Fui uma das modelos mais jovens a aparecer na capa da *Vogue* americana e dentro dessa edição também havia uma foto nua minha, tirada por Irving Penn.

Na época, havia três fotógrafos de moda que eram verdadeiros ícones: Richard Avedon, Helmut Newton e Irving Penn, que fotografavam raramente, pois já tinham certa idade, e com quem todo mundo queria trabalhar. Quando minha agente me contou que Irving Penn gostaria de me fotografar nua, fiquei bastante hesitante — não queria tirar a roupa. Também não sabia como dizer não à maior e mais influente revista de moda do mundo, e a um ícone da fotografia. A ideia como um todo me deixou pouco à vontade, mas a agência me disse que era muito importante, e acabei concordando. Sendo bem franca, era uma oportunidade única na minha carreira, então senti que era algo importante a ser feito.

Irving Penn, que tinha quase oitenta anos quando nos conhecemos, era um verdadeiro artista, e um homem gentil e respeitoso. Normalmente, durante ensaios fotográficos, há mais de uma dezena de pessoas circulando pelo estúdio, mas ele trabalhava só com um assistente e Phyllis, a editora, e usava luz natural que vinha da janela — pelo menos foi assim das duas vezes que trabalhei com ele. Era muito cortês e discreto. Não havia retoque. Tirar a roupa não foi fácil para mim. Muita gente pensava que as brasileiras tiravam a roupa a torto e a direito, já que no Carnaval os corpos ficam bastante expostos, mas eu cresci numa família bem conservadora e me senti desconfortável em pé ali sem nada no corpo. Mas fiz o que minha agente me disse para fazer. Eu me lembro de ficar lá nua por quase duas horas sem me mexer, mal conseguindo respirar, com o rosto inclinado para a direita. Isso também me deixou incomodada, já que havia me convencido de que só ficava bem quando fotografada do lado esquerdo. "Não acho que este lado seja tão bom, Sr. Penn", falei. Jamais vou esquecer a resposta dele. Falando devagar, com sua voz serena, ele me disse que tudo e todos têm uma beleza única e própria — que *todos* os ângulos são lindos. Quando finalmente vi a foto que ele tirou, percebi que estava certo. A foto era diferente, mas também, pelo menos na minha concepção, ficou legal — apesar de não conseguir mexer o pescoço por vários dias depois da sessão por ter ficado muito tensa. E o curioso é que, anos mais tarde, escolhi essa foto para ilustrar a capa do meu livro em comemoração aos meus vinte anos de profissão. Trabalhar com Irving Penn me libertou de muitas maneiras, me fez perceber, por exemplo, que eu não precisava parecer com ninguém, não havia problema em ser diferente.

Outro aspecto que fazia muitas pessoas me acharem confiante — mas que na verdade se tratava de algo totalmente diferente — era meu jeito de desfilar na passarela. Com o passar dos anos, fiquei conhecida por um andar que alguns chamavam de "trote". Erguia o joelho alto e chutava o pé para a frente, o que criava a impressão visual de uma égua trotando. A verdade é que eu não tinha opção. Calço 37 e tenho 1,80m de altura. Os saltos que as modelos usavam na passarela eram muito mais altos comparados aos que eram vendidos nas lojas, tornando quase impossível, no meu caso, manter as pernas esticadas. Imaginem ter a minha altura e se equilibrar em pés pequenos dentro de sapatos de salto muito alto, e aí você vai entender por que meu caminhar era simplesmente um jeito de evitar levar um tombo. E também tinha outro efeito: fazia a menina que desfilava na passarela — *ela* — se sentir orgulhosa, forte, confiante e determinada. Parecia que eu estava abrindo caminho aos pontapés. O que ninguém sabia era que os saltos que eu geralmente usava machucavam tanto na hora de andar que eu os tirava no instante em que chegava aos bastidores.

Se antes do desfile de Alexander McQueen eu já era focada, depois disso passei a ser ainda mais focada e determinada. Eu já sabia o que queria, mas agora as possibilidades pareciam muito mais amplas. Estava empenhada em escalar a montanha que via à minha frente. No que dependesse de mim, nada iria me impedir. E daí se um dia eu estivesse doente, no outro sentisse cólicas, e na semana seguinte estivesse passando por maus bocados na minha vida pessoal? Mesmo quando sentia vontade de chorar, aparecia com um sorriso no rosto, pronta para trabalhar. A carreira de modelo costuma ser curta, além de descartar as meninas com facilidade — já tinha visto tantas garotas irem e virem —, e eu não seria uma delas. Com o tempo, pareceu mais saudável, além de ajudar a resguardar quem eu realmente era, pensar no meu trabalho como modelo não como minha identidade, e sim como um negócio, uma profissão. O que é, na verdade. Para mim, isso significava que eu precisava entender cada aspecto dessa indústria: cabelo, maquiagem, câmeras, iluminação, enquadramento. Todo o processo criativo e colaborativo.

A melhor forma de aprender a fazer alguma coisa é *fazendo*. Dia após dia, meu trabalho me deu a oportunidade de estar cercada por equipes de pessoas incrivelmente criativas. Tive ótimos professores. E me propus a absorver e a analisar toda e qualquer coisa ao meu alcance. Ficava lá prestando muita atenção quando alguém arrumava meu cabelo ou me maquiava. Observava os fotógrafos de perto e aprendia sobre luz e ângulo, e descobri rapidamente que, quando se trocam as lentes, o enquadramento e a luz, *tudo* muda.

O fator *mais importante* para que uma foto saia do jeito que você quer é a iluminação. Por outro lado, o enquadramento é o que torna a foto mais interessante. É uma foto convencional de frente? Ou é tirada de um ângulo mais baixo, que tem o efeito de me fazer parecer mais alta, ou de cima, que me faz parecer mais baixa? Ou é uma foto tirada de um ângulo diferente, com um propósito mais artístico? Se a iluminação cria o clima, o enquadramento pode determinar se a foto é diferente, incomum ou meramente comercial (embora a luz também possa fazer isso). Então comecei a analisar as fotos que não tinham uma luz boa: *Isso não ficou legal — por quê?* Quanto mais eu entendia sobre luz e enquadramento, melhores minhas fotos ficavam. Dava para ver como um feixe de luz valorizava meu rosto, enquanto outro o fazia parecer esquisito, e como sutilmente mover o queixo um milímetro para a esquerda ou para a direita alterava todo o efeito. (Eu estava sempre tentando encontrar ângulos em que meu nariz parecesse menor e meus olhos parecessem maiores.)

No fim das contas, adquiri uma compreensão muito maior não apenas do meu papel nesse esforço colaborativo, mas também dos papéis exercidos por todos os outros envolvidos. Algumas pessoas podiam até me ver como um cabide, mas eu estava atenta a tudo, analisando e tentando aprender sempre. Ter trabalhado com os melhores profissionais da moda por tantos anos também me deu a oportunidade de ajudar profissionais com menos experiência. Eu sabia o que caía bem em mim. *Talvez você pudesse tentar colocar a sombra deste jeito?*, dizia. *Ou meu cabelo deste jeito?* Queria ajudar a todos. Luigi, um querido amigo e provavelmente o melhor cabeleireiro com quem já trabalhei, além de ser um ótimo fotógrafo, brinca que adorava ser meu assistente de cabeleireiro porque sou boa em brincar com o cabelo durante as sessões de fotos, já que isso sempre me ajudou a entrar na personagem.

Por natureza, a carreira de modelo tem um tempo limitado numa indústria que é voltada para a juventude. As modelos enfrentam muitas tentações e situações em que facilmente podem sair dos trilhos. A maioria das garotas começa a trabalhar mais ou menos com a mesma idade que eu tinha quando comecei, no início da adolescência, uma época em que são muito influenciadas pelas colegas. Nessa idade, você só quer fazer parte do grupo, e num negócio onde há muitas festas, bebidas, drogas e "glamour", onde a ênfase é quase que exclusivamente na aparência, essa pode ser uma combinação perigosa. *Por quanto tempo você vai fazer isso, Gise?*, eu me questionava. Naquela época não havia uma boa resposta, mas de uma coisa eu tinha certeza: quando chegasse o dia em que não me oferecessem mais trabalhos, eu não iria para casa de mãos vazias. No mínimo queria ter meu próprio cantinho. Qual era o sentido de ficar pagando aluguel quando podia usar aquele mesmo dinheiro para fazer um financiamento e comprar meu próprio apartamento? Comecei a guardar todo o dinheiro que sobrava no fim de cada mês. Nunca me interessei por roupas, bolsas e sapatos caros. Fazia mais o tipo hippie. Se precisasse de roupas novas, ia a um dos brechós no centro de Nova York. Por que comprar roupa nova quando iam me vestir toda no estúdio fotográfico? Quando comecei a fazer mais sucesso e os clientes começaram a me mandar passagens aéreas de primeira classe, eu as trocava por um assento na classe econômica, e o dinheiro que sobrava ia direto para a poupança.

Foi economizando cada centavo que ganhava com o meu trabalho que consegui comprar meu primeiro apartamento em Nova York, na Beach Street, em Tribeca. Era um apartamento pequeno, meio escuro, mas eu o adorava porque era *meu*. Depois de me mudar para lá, não tinha sobrado muito dinheiro para reformas, então fiz quase tudo eu mesma, seguindo o exemplo da minha mãe de sempre tentar fazer as coisas por conta própria. Lixei e envernizei o piso, e fiz o mesmo com quatro bancos brancos que encontrei numa venda de garagem na Houston Street. Esses quatro bancos me acompanham para onde vou, e hoje estão na nossa cozinha em Boston.

Reformando meu apartamento em Nova York, em 1999. Depois de lixar o piso, é hora de envernizar! Sempre gostei de fazer coisas desse tipo. Tenho minha própria caixa de ferramentas. E não me deixe chegar perto de um martelo, adoro pendurar quadros pela casa.

Decorei os outros cômodos com móveis da IKEA. Para me lembrar do Brasil, comprei algumas palmeiras em vasos e um peixinho. Só precisei *mesmo* de alguém para reformar o banheiro, então passei os seis meses seguintes tomando banho no estúdio ou na casa de algum amigo. Muitas garotas não conseguiam acreditar quando contava a elas que tinha comprado meu próprio apartamento. Mas estava sempre olhando e planejando mais para a frente. Sempre soube pelo que eu estava trabalhando.

Aquilo em que escolhemos focar nossa atenção é muito, mas muito importante. Primeiro vem o *pensamento*. Por quê? Porque antes que você possa almejar algo, ou tomar alguma atitude a respeito, precisa imaginar o que deseja. Quanto mais você pensa em algo, mais fortes se tornam seus pensamentos em torno daquilo — e eles acabam se tornando uma *crença*. Quando eu estava tendo ataques de pânico e bebendo Mocha Frappuccinos, fumando um maço de cigarros por dia e tomando uma garrafa de vinho à noite, isso se tornou uma espécie de sistema de crenças. Aquele sistema de crenças me dizia que eu era uma pessoa sempre muito ocupada que precisava fumar o dia todo para continuar na ativa e beber vinho toda noite para relaxar. Era isso que eu acreditava que precisava fazer para seguir em frente. Fumar cigarros e beber vinho eram as atitudes que eu tomava *com base* naquele sistema de crenças. As curas — meditar, correr todas as manhãs e fazer mudanças na minha alimentação — foram atitudes baseadas no meu novo sistema de crenças. Eu achava que meditar e fazer ioga iam me ajudar — e, lentamente, à medida que me ajudavam, esses pensamentos evoluíram para uma crença positiva que acabou mudando a minha vida.

Seus pensamentos podem lhe destruir ou lhe conduzir a lugares melhores. Mas seja lá o que você escolher fazer como resultado dos seus pensamentos, faça isso pelos motivos certos. Quando você faz alguma coisa para se satisfazer, algo que realmente acha que vai trazer felicidade, é maravilhoso. Mas, no momento em que faz algo só para agradar os outros, ou a sociedade, ou uma cultura, o tiro pode sair pela culatra, como bem sei.

Como mencionei antes, depois do desfile do Alexander McQueen, a indústria da moda começou a se referir a mim como "O Corpo". Eu já estava totalmente à vontade com aquele corpo. Mas, depois que meus filhos nasceram — Benny, em 2009, e Vivi, em 2012 —, naturalmente meu corpo começou a mudar, ainda mais depois de amamentar por quase dois anos cada um. Embora amamentar tenha sido uma das experiências mais especiais da minha vida, e sou tão grata por ter conseguido fazer isso, por outro lado, isso não apenas diminuiu o tamanho dos meus seios como os fez ficar levemente assimétricos. A verdade é que, não importa quão saudável você seja, ou quão regularmente faça exercícios, se você é mulher, seu corpo vai mudar depois da gravidez e do parto.

Além disso, eu não tinha mais 19 anos. Já havia passado dos 30, e era uma jovem mãe. Por anos fui rotulada como "O Corpo", e a indústria da moda tinha expectativas elevadas quando à minha aparência. Mas o tempo passa para todos nós, e todos mudamos. Quando chegava para fazer um trabalho, algumas pessoas faziam comentários, direta ou indiretamente. "O que aconteceu com seus peitos?", diziam, ou "Seus seios ficaram tão pequenos!". Alguns até sugeriam que eu colocasse um tipo de enchimento de silicone no meu sutiã.

Bem, como onde você colocar sua atenção é onde colherá resultados, comecei a ficar desconfortável em relação ao tamanho e à aparência dos meus seios. De repente comecei a ficar menos confiante com meu corpo, com meus seios. Sentia que, de alguma forma, não conseguia mais corresponder às expectativas dos outros e dar o meu melhor. Ainda assim, era impossível voltar a ter o corpo que eu tinha antes de ser mãe. O que me levou a tomar uma das piores decisões da minha vida.

Nunca considerei fazer plástica — mesmo quando as pessoas faziam comentários sobre o meu nariz, ou meus olhos, ou faziam com que eu me sentisse inadequada. Mas, dessa vez, infelizmente, escolhi dar atenção aos comentários que vinha ouvindo. Decidi fazer uma cirurgia nos seios. Pensei assim: *Se der uma turbinada no peito, ninguém mais vai fazer esses comentários, e tudo vai voltar a ser como antes.* Escolhi confiar no meu cirurgião, acreditando que ele sabia o que era melhor para mim. Mas — acredite — aprendi que ninguém melhor que *você* para saber o que é melhor para *você*. Quando a cirurgia acabou, não conseguia mais reconhecer meu corpo. Não ficou como eu imaginava. Fiquei incomodada com o tamanho dos meus seios. Fiquei com raiva e deprimida. Por que eu tinha feito aquilo comigo? Por que deixei minha atenção ser direcionada para isso? Eu tinha feito alguma coisa por mim mesma, mas, basicamente, para tentar agradar os outros. O aprendizado aqui é: ouça a sua voz interior em primeiro lugar, para ter clareza sobre o que você realmente quer, antes de tomar decisões importantes. Afinal, é você quem terá de viver com as consequências de suas escolhas.

Se, por outro lado, nossa atenção é direcionada para coisas positivas, os resultados obtidos serão positivos. Por exemplo, sempre amei a natureza, mas só depois que visitei as tribos indígenas na Amazônia, em 2004, foi que fiquei frente a frente com a triste situação gerada pelo desmatamento. Minha visita foi intensa e reveladora e, quando fui embora, disse a mim mesma que tinha que fazer alguma coisa para ajudar a preservar os recursos naturais. Pedi à Grendene, empresa com a qual trabalhei durante anos numa linha de sandálias, para, por favor, me ajudar a chamar atenção para causas ecológicas. Decidimos que um percentual dos lucros anuais da minha linha de sandálias seria doado para ajudar a proteger o rio Xingu, que deságua no rio Amazonas, e para ajudar a apoiar várias outras causas ambientais. Durante anos conseguimos apoiar inúmeros projetos, incluindo projetos de recuperação de florestas, da água e das espécies ameaçadas de extinção no Brasil.

Eu queria fazer tudo o que estava ao meu alcance para chamar atenção e trazer consciência para os problemas ambientais, então também criei um desenho animado na web chamado *Gisele and the Green Team*, sobre um grupo de adolescentes que levavam uma vida dupla como supermodelos e super-heroínas protetoras do meio ambiente. Em Horizontina, meu pai

Sendo pintada por várias lindas mulheres da etnia Kisêdjê dentro de sua oca, na Amazônia, em 2006.

e eu criamos o Projeto Água Limpa, com a missão de restaurar a mata nativa nas margens do rio e melhorar a qualidade da água. Essas iniciativas me levaram a ganhar reconhecimento nessa área. A ONU me convidou para ser uma de suas Embaixadoras da Boa Vontade. A Universidade de Harvard também reconheceu o trabalho que eu vinha fazendo. Anos depois, esses esforços me levaram a fazer aquele discurso no Rock in Rio. Nos últimos anos, a maior parte do meu tempo tem sido direcionada para trabalhar em prol do meio ambiente, já que minha preocupação com o planeta e as futuras gerações é enorme, e espero inspirar todos a ajudarem.

Presto muita atenção às informações que recebo todos os dias — e à maneira como alimento e nutro minha mente. Como figura pública, sei

Da primeira vez que visitei a região do Xingu, em 2004, o cacique do povo Yawalapiti pintou minha testa com urucum em preparação para a cerimônia noturna.

que há muitas coisas escritas sobre mim na internet, quase tudo por pessoas que não me conhecem. Algumas são maldosas e negativas. Na internet, as pessoas fazem comentários sobre outras pessoas que não conhecem, comentários que jamais fariam se estivessem cara a cara. Computadores são máquinas, e e-mails, mensagens e comentários na internet nos desconectam da ideia de que há um ser humano do outro lado da tela. O anonimato não só cria essa desconexão; ele também parece facilitar a crueldade. Para mim, é difícil acreditar que alguém que tenha uma vida feliz entraria na internet com o propósito de dizer coisas maldosas sobre uma pessoa que nem conhece. Isso é pior do que os meninos que implicavam comigo na escola, porque o número de pessoas fazendo comentários na internet é muito maior. Pessoas felizes têm coisa melhor para fazer do que gastar seu tempo falando mal dos outros.

Durante minha vida inteira me considerei uma pessoa feliz. Sou abençoada; tenho saúde, marido e filhos para amar, e trabalhos a realizar. Se direcionasse toda minha atenção para a internet ou para todas as

Discursando — e, como de costume, ficando emocionada — sobre o projeto Água Limpa em Porto Alegre, em 2008.

últimas notícias negativas do mundo, a qualidade da minha vida iria mudar, e não para melhor. Meu celular se tornaria meu foco, e o medo, a ansiedade e a sensação de desamparo aumentariam. Aos vinte e poucos anos, me lembro de passar dias incríveis no trabalho e com os amigos, e depois ia para casa e ligava a TV ou entrava na internet e via alguma coisa que me angustiava tanto que ficava muito mal. Focar muito da sua atenção nas notícias do mundo, na internet ou em qualquer coisa externa pode consumir você. Não é a sua vida, mas pode muito bem *se tornar* a sua vida. Se você continuar dando atenção a coisas que tragam medo ou ansiedade, vai acabar sentindo cada vez mais medo e ansiedade.

Claro que isso não significa que você vá ficar alienado sobre o que está acontecendo ao redor do mundo, mas, ao mesmo tempo, não deve se concentrar apenas nas notícias ruins. É importante buscarmos nos alimentar de conteúdos que nos façam crescer, que nos inspirem, que tragam bons sentimentos.

Nas raras ocasiões em que fico na internet, com frequência me pego lendo palavras ou vendo imagens que me fazem lembrar dos diversos pensamentos que passam pela minha cabeça durante a meditação. Eles vêm e vão de uma hora para a outra, de um dia para o outro. Pode ser útil questionar: direcionar sua atenção para esta ou aquela informação vai beneficiar ou conectar você ao seu "eu" superior?

Quando fui convidada para participar da cerimônia de encerramento da Copa do Mundo FIFA de 2014, fiquei dividida. Como muitos brasileiros, eu acreditava que o Brasil poderia ter usado o dinheiro gasto em estádios para coisas mais urgentes e necessárias, como melhorar hospitais, escolas e a infraestrutura do país. Mas, no fim, acabei aceitando. Senti que seria uma honra representar meu país e transmitir uma imagem positiva. Tive a mesma sensação quando me convidaram para desfilar na abertura das Olimpíadas do Rio em 2016. Meu objetivo — e espero que isso não soe muito pretensioso — era que, de algum modo, eu pudesse servir como inspiração, como uma imagem positiva para o nosso país. Seria um privilégio, na verdade, e eu iria viver uma experiência única. Eu *tinha* que fazer aquilo.

Quando cheguei ao Rio e peguei o carro até o hotel, ouvi o que falavam no rádio. Tudo era negativo. Ninguém acreditava que o Brasil pudesse realizar uma cerimônia de abertura das Olimpíadas bem-sucedida. Consequentemente, fiquei apreensiva quanto àquela situação como um todo. Mas também sabia que sempre que tenho medo de ir além, é aí que preciso ter coragem. Se não estiver disposta a ousar e tentar algo novo, me fecho para oportunidades que poderão resultar daquilo. Os maiores sucessos que tive na vida vieram todos quando saí da minha zona de conforto.

Minha tarefa nas Olimpíadas era desfilar sozinha por mais de 120 metros. Só eu. Mais ninguém. Milhares de pessoas estariam dentro do estádio escuro, e milhões mais ao redor do mundo estariam vendo pela televisão. Muitas coisas podem acontecer, ou dar errado, em 120 metros. E se eu caísse? Graças a Deus, nunca caí num desfile, mas sabia que isso podia acontecer. Já perdi um sapato, quebrei um salto, prendi a cauda do vestido no salto várias vezes, mas nunca caí. Antes de entrar na passarela, fiz uma oração.

Pedi proteção, força e coragem. Pedi para ser uma canalizadora — uma mensageira de luz e amor. Então o clarão dos holofotes iluminou minha cabeça.

Quando senti aquela luz, me dei conta da enorme energia positiva que havia na escuridão ao meu redor. Ao piano, no centro do palco, Daniel Jobim, o neto de Tom Jobim, tocava e cantava "Garota de Ipanema" quando comecei a desfilar. Podia ser só eu lá naquela passarela, mas cada um dos meus anjos da guarda estava comigo. O mundo pode até ter assistido a uma mulher desfilando numa passarela escura, mas eu não estava sozinha, nem por um segundo.

Gosto de abraçar cada oportunidade que a vida me dá. Gosto de me desafiar, de experimentar coisas novas, porque nunca sabemos quanto tempo nos resta. O tempo é nosso bem mais precioso, e não quero desperdiçar um segundo sequer. Temos um número limitado de horas, dias e anos para viver a magia desta vida, a beleza do nosso planeta e a sensação de estarmos dentro de nosso corpo. Minha relação com o tempo — e meu sentimento de que nunca há o suficiente — está por trás da minha impaciência e também da minha autodisciplina. Ainda há tanto que quero fazer!

Como o tempo é precioso, muitas vezes reflito sobre como usá-lo com sabedoria. *Como estou usando meu tempo? Estou passando com quem amo? Estou consciente e presente a cada momento? Estou aprendendo sobre pessoas, ideias ou situações que vão me encorajar positivamente? Estou lendo livros ou revistas que me ensinam, me inspiram e me trazem alegria? Estou*

Rezando nos bastidores antes de desfilar na cerimônia de abertura das Olimpíadas do Rio, em 2016.

direcionando minha atenção a coisas que podem estar fora da minha zona de conforto — mas que me ajudam a crescer? A mensagem importante aqui é que podemos escolher direcionar nossa atenção para áreas de nossas vidas que nos darão o apoio necessário para que sejamos a melhor versão de nós mesmos.

6

A natureza: nossa maior professora

Em Horizontina, onde cresci, não havia semáforo. Nem cinema. As ruas eram basicamente de paralelepípedo, com exceção da avenida principal, onde ficava o hospital, o banco em que minha mãe trabalhava e a SLC, a fábrica de implementos agrícolas que empregava a maioria dos habitantes da cidade e que mais tarde foi comprada pela multinacional de máquinas agrícolas John Deere. A cidade mais próxima não era muito maior, com cerca de 30 mil habitantes, e Porto Alegre, a capital do estado, ficava a sete horas de carro.

Muitos de nós têm lembranças de uma infância aparentemente simples, inocente e feliz — talvez porque *nós* fôssemos assim! —, mas minha infância foi desse jeito mesmo. Na minha cidade, todo mundo se conhecia. Os carros diminuíam a velocidade quando os motoristas viam a gente pulando corda na rua, e as pessoas batiam papo quando se encontravam. Ninguém trancava a porta. Aos 4 anos, andava sozinha até a casa das nossas vizinhas Karina e Melissa, entrava sem pedir licença e até pegava no sono vendo desenho no sofá delas com minha mamadeira do lado. Lá era esse tipo de lugar. Porém, muito mais do que o clima amistoso, da segurança e da liberdade que eu e minhas irmãs tínhamos para voltar da escola a pé ou andar de bicicleta por onde quiséssemos, o que mais me lembro é de estar cercada pela natureza. As árvores carregadas de frutas, tantos pássaros diferentes, as fileiras de pés de amora, a grama quentinha, a areia da praia quando nossos pais nos levavam de férias para o litoral, a terra molhada sob os pés descalços, e acima de mim sempre aquele céu azul imenso e brilhante.

Quando digo que *A natureza é nossa maior professora*, você pode se perguntar o que exatamente ela nos ensina. *Natureza* é uma categoria bem ampla, no fim das contas, e nós crescemos aprendendo sobre ela de um jeito um tanto quanto desconectado. Nas aulas de ciências, decoramos tipos de folhas e formatos de nuvens, aprendemos sobre o sistema solar ou sobre a influência da lua nas marés. Os estudos sociais nos ensinam sobre geografia, fronteiras e crescimento populacional. Nem todo mundo consegue perceber a ligação que há entre todas essas matérias: a *natureza*.

Talvez a pergunta mais adequada a se fazer seja "o que a natureza *não* nos ensina?". Para mim, ela é *tudo*. É a maior e melhor expressão da criação, do amor e da compaixão. Não importa quantas vezes eu veja o sol nascendo, ouça a chuva caindo, veja uma onda quebrando na praia ou observe um bando de gansos voando, sempre fico completamente maravilhada. Para viver, comer, beber, respirar e absorver a luz do sol, precisamos manter uma troca contínua com a natureza. Se o fluxo dessa troca é interrompido, *nós* sofremos as consequências. A natureza nos dá a vida; sem ela, nenhum de nós estaria aqui. Quando foi que começamos a esquecer que nossa vida depende dessa troca?

Como muitas pessoas, cresci acreditando que a igreja era apenas um lugar aonde íamos aos domingos. Mas por que confinar Deus somente a uma estrutura feita pelo homem? Acredito que a *própria* natureza seja nosso templo. Com certeza é o meu. Se você entra em sintonia com as energias do amor, da compaixão e de tudo o que a natureza nos dá, você consegue ver Deus — que é, prefiro pensar, o criador — em todos e em tudo. É como se nos dando a vida, os lagos e oceanos, as árvores, os campos, os desertos, a criação quisesse vivenciar *a si mesma*. A natureza é inteligente. É paciente. Sábia. Acredito que, se dedicássemos ainda que alguns poucos minutos todos os dias para restabelecer nossa conexão com a natureza, sentiríamos uma mudança profunda e positiva. Sei que na minha vida essa conexão me traz uma paz e uma alegria incríveis.

O poder das árvores. Na floresta amazônica, em 2011.

Acredito que podemos escolher viver no céu ou no inferno bem aqui na Terra. Ambos estão em nossa mente. Estamos ajudando a criar um ou outro. Você é quem decide se é uma pessoa boa ou má, em vez de deixar os outros decidirem em seu lugar. Se todos concordarmos que Deus é amor, então tudo o que for desamor é o oposto de Deus.

Estamos vivendo na era da informação. Não acho que seja coincidência o fato de hoje, mais do que nunca, parecer que as pessoas estão desconectadas da natureza e de si mesmas. Esquecemos de passar tempo ao ar livre. Em vez de sair para dar uma caminhada, sentar no topo de uma rocha, ouvir o som de um riacho ou passear na beira da praia, recorremos a aplicativos ou a vídeos que reproduzem essas experiências e sons. A maioria de nós tem dificuldade em simplesmente *estar* — estar com nós mesmos, estar com outras pessoas. Quando foi a última vez que você saiu para almoçar ou jantar e ninguém levou o celular? Tem uma frase que eu adoro que diz que só temos duas maneiras de viver a vida: uma é acreditando que nada é um milagre; a outra é acreditando que tudo é um milagre. A natureza nos mostra que *a vida* é um milagre.

Durante minha vida inteira tenho sido suscetível ao que chamo de "energia". A energia que as outras pessoas emanam. A energia que sinto quando entro em algum lugar. Tudo e todos liberam algum tipo de vibração. Sei que não sou a única a sentir isso. Muitas pessoas são sensitivas, algumas mais que outras. Sem dúvida a ciência tem uma explicação para isso — ou até um modo de refutar o assunto, talvez —, mas nada parecia mais real para mim do que essa energia que eu percebia desde bem pequena.

No quarto que dividia com minhas irmãs, às vezes sentia uma presença ao tentar pegar no sono à noite. Uma sensação de calor ou frio. Eu não podia ver o que estava sentindo — não *queria* ver —, mas podia sentir. Essas presenças eram como as correntes repentinas de água fria e morna que tocam a nossa pele quando estamos nadando no mar ou num lago. Sempre que sentia uma no meu quarto, me enfiava debaixo das cobertas ou sussurrava meio alto para a Pati ou a Gabi acordarem ou me levantava e pulava para a cama embaixo da minha no beliche, onde a Fafi dormia. Seja lá o que fosse, aquilo me dava medo. Não queria pensar no que poderia ser. Mas aquelas presenças eram tão reais para mim quanto ir à escola, jogar vôlei ou fazer as tarefas de casa.

Com Benny na nossa horta, em 2013.

Os seres humanos estão sempre em busca de conhecimento. Buscamos modos de nos compreender e de entender o mundo — modos que podem ser diferentes do que nos ensinaram. Talvez estejamos procurando experiências que nos tragam algum significado maior e um sentimento de conexão. A natureza me faz sentir assim.

Nada me deixava mais feliz quando eu era pequena do que ajudar minha avó materna no jardim dela, subir numa árvore ou tomar banho de mar quando a família inteira ia para a praia. A natureza era uma presença tão tangível quanto a das minhas irmãs. Seja qual fosse a energia emanando de mim, ela parecia vibrar em harmonia com a natureza. Ela nunca foi uma coisa *separada* de mim. Ela *era* eu. Ela é *todos* nós.

Esse sentimento da minha infância nunca deixou de existir. Cada momento que passo na natureza me lembra de como meu lugarzinho no mundo se conecta com alguma coisa vasta e incrível. Tudo que preciso fazer é dar uma volta atrás da minha casa, ver um pássaro voando lá em cima, ou surfar de manhã cedinho, e a natureza me traz equilíbrio. Ela nutre a minha alma.

A maioria de nós não *vê* as árvores pelo que elas realmente são. Nós as tratamos como cenário, como parte da paisagem. Raramente paramos para pensar no que as árvores representam de verdade. Além de serem lindas, elas absorvem o dióxido de carbono, armazenando o carbono e liberando parte do oxigênio que respiramos. Elas capturam os poluentes em seus galhos e em suas folhas. Na forma de florestas, ajudam a gerar o ciclo das chuvas que equilibra nosso clima. Elas ajudam a nos proteger dos raios ultravioleta. Oferecem sombra, que resfria as estradas, as casas, os jardins. Aumentam a umidade do ar e desaceleram a erosão do solo. Elas nos alimentam com seus frutos e podem conter remédios e venenos poderosos em suas folhas ou cascas. O primeiro lar para muitos de nós é um bercinho feito de madeira, e o último é um caixão, e, nesse intervalo, muitos de nós vivem em casas com estruturas de madeira. As árvores forneceram o papel para este livro. Pense no milagre que é uma árvore. Elas fazem parte das nossas vidas do início ao fim. Elas são realmente maravilhosas.

Agora pense no seu corpo. Quantas funções dele precisam trabalhar simultaneamente para sustentar a vida! O coração bate; os pulmões se enchem de ar depois o liberam; as veias fazem circular sangue, oxigênio e nutrientes; os sistemas imunológico e linfático combatem infecções; o sistema digestório metaboliza os alimentos; e o cérebro orquestra o processo todo enviando mensagens para cada parte do corpo. Alguma vez paramos para pensar no milagre que é isso — em como a *natureza* é milagrosa? Sempre falo para os meus filhos que Deus, ou nosso criador, é a energia do amor que vem da abundância. A evidência desse amor e da criação está em todos os lugares e em tudo. Está no dia e na noite, nas rochas e nos campos, nas árvores e nas planícies, nos planetas e nos oceanos. Está em você, em mim e em todos nós. Deus criou a natureza — e a natureza é Deus.

Quando penso nos ataques de pânico que tive em 2003, me pergunto se eles teriam sido tão severos se eu não estivesse passando meu tempo inteiro numa cidade grande. Os prédios de Manhattan tapam o sol e o

Benny e Vivi plantando árvores, em 2015.

céu, quadras inteiras ficam na sombra, e as luzes artificiais e a poluição impedem que as pessoas vejam estrelas à noite. Durante meus ataques de pânico, tudo o que queria era estar em contato com a natureza. Eu me pegava desejando ir para minha casinha de madeira em Woodstock. Naquela época, eu ia sozinha de carro até lá, ouvindo Joni Mitchell no CD player, nos fins de semana sem compromissos, ou às vezes só para passar o dia. Quando chegava lá, passava a maior parte do tempo ao ar livre, caminhando, pegando sol, admirando o lago ali perto, ouvindo os pássaros e, de vez em quando, até avistando de longe um urso-negro, o tempo todo consciente de que a natureza estava me curando. Nunca vou esquecer como o solo parecia sugar lentamente todas as tensões que haviam se acumulado durante a semana.

A natureza — e minha reverência por ela — ainda é uma grande parte do meu cotidiano, e isso inclui as refeições. Antes de comer, sempre junto as mãos sobre o prato, fecho os olhos e faço uma breve oração. Como já disse, acredito que tudo está vivo e nos dá energia, inclusive a nossa comida. Se estiver almoçando uma salada, estou consciente do fato de que tudo à minha frente — alface, cenoura, beterraba — um dia foi semente. Enquanto germinavam, as sementes foram aquecidas e nutridas pela terra, pela luz do sol e pela chuva. Agora, estão nutrindo *meu* corpo. O mínimo que posso fazer é demonstrar gratidão e honrar esse ciclo.

Agradeço ao meu alimento e peço que nutra cada parte do meu ser. Termino minha oração dizendo obrigada três vezes. (Por que três vezes? Sei lá. Virou hábito.) Só depois é que começo a comer.

Vivi não liga muito para o meu ritual, mas o Benny já passou a fazer uma prece também. (A Vivi faz só de vez em quando.) Nenhum de nós tem, automaticamente, direito à comida, e não quero jamais deixar de dar valor ao que está no meu prato. Com muita frequência, engolimos o que tem ali sem nem pensar, pois estamos lendo alguma coisa, vendo televisão ou mexendo no celular. Abençoar minha comida antes das refeições significa que estou dedicando a ela meu total respeito e atenção.

A natureza está presente na minha vida de tantas maneiras e tenho profundo respeito pela sua força e poder. Quando entro no mar, por exemplo, quando estou na Costa Rica, meu horário favorito para surfar é às cinco da manhã, quando não tem ninguém por perto, exceto os pelicanos e os golfinhos. E sempre peço permissão ao oceano antes de entrar. Afinal, o que eu sou para o oceano? Uma partícula diante da sua imensidão. É por isso que, antes de entrar na água, reservo alguns segundos para fazer uma breve oração. Peço permissão ao oceano para nadar nele e peço sua proteção. Sinto que estou firmando um contrato entre nós, além de demonstrar respeito e reverência pela água.

Sendo bem sincera, cada vez que vou surfar fico com medo. Medo de tubarão. De ser sugada por uma corrente forte. De me afogar. Quando criança, eu entrava no mar direto e amava pular ondas. Um dia, estava nadando com Gabi, Pati e nossa prima Lisi, que era mais velha que nós. Eu não sabia que era perigoso nadar perto das pedras, principalmente porque as correntes eram fortes, mas era pequena e a maré estava alta. A Gabi nadava ao meu lado, e então, de repente, eu a ouvi gritar. Sem pestanejar, nadei até ela, e então nós duas fomos puxadas por uma corrente forte. Pati gritou por socorro, e Lisi tentou nos agarrar, mas acabou ficando presa também. Havia cerca de vinte pessoas na areia. De algum jeito, elas conseguiram formar uma corrente humana e nos puxaram para a beira d'água. Eu nunca tinha me sentido tão indefesa, ou tão apavorada na vida e mantive distância da água por vários anos depois disso. Mas, quando fui ficando mais velha, passei a sentir muita falta do mar e queria voltar a me divertir. Num primeiro momento, entrava só até a água cobrir o tornozelo, e depois me sentava na areia. Um dia decidi comprar uma prancha de surfe, para que pelo menos pudesse boiar sobre alguma coisa. Agora já faz anos que surfo. Graças a Deus, até hoje, o oceano tem cuidado muito bem de mim, e sempre me sinto muito feliz de estar na sua presença.

Visitar o sítio da minha avó materna quando criança teve um papel muito importante no desenvolvimento do meu amor e da minha reverência pela natureza. Minha avó plantava e colhia quase tudo o que comia, e, uma estação após a outra, eu via as sementes que ela enterrava no solo e das quais cuidava se tornando brotos e, mais tarde, verduras, legumes ou temperos que ela usava ou trocava com os vizinhos. Fui ficando cada dia mais admirada pela forma como uma estação produzia um tipo de fruta ou verdura, e, na estação seguinte, havia outra colheita totalmente diferente. Dava para ver os ciclos da natureza em pleno funcionamento, a longa jornada de uma semente até virar comida no meu prato. Foi com o passar do tempo, no sítio da minha avó que aprendi a apreciar esse processo e me dei conta de que tudo na Terra está vivo, seja uma folha de grama, um grão de arroz ou uma fruta.

Com a minha avó também aprendi a importância de comer alimentos produzidos localmente. Uma das maiores falhas de conexão com a natureza que vejo é a forma como a maioria das pessoas faz compras no mercado. É comum comprar frutas, legumes, verduras, carne, frutos do mar e aves sem saber de onde vêm, ou se os produtores usaram agrotóxicos e estabilizantes nos alimentos. A maioria dos alimentos hortifrutigranjeiros que minha família come vem de agricultores e produtores locais. Apoio 100% o consumo de alimentos produzidos localmente e, para mim, não há duas profissões mais importantes e mais subestimadas que as de agricultor e professor. Se você pensar bem, agricultores e professores são parecidos. Os agricultores semeiam e cultivam a comida que ingerimos, e os professores semeiam e cultivam a mente das nossas crianças!

Frutas, verduras e legumes de origem local têm um sabor melhor porque são mais frescos, já que nada precisa ser adicionado a eles para impedir que estraguem. Consumir produtos locais também é melhor para o meio ambiente. Significa que a comida que ingerimos precisou ser transportada por uma menor distância até chegar à nossa mesa. Sei que é difícil, para algumas pessoas, encontrar produtos de origem local — principalmente para quem vive na zona urbana —, mas sempre fico feliz ao ler que feiras de pequenos produtores estão cada vez mais em alta. Depois que você experimenta a diferença de um produto local e sente o nível de energia aumentar, é difícil voltar a se alimentar de outra forma.

Temos sorte de ter uma pequena horta atrás da nossa casa em Boston. Plantar nossos próprios legumes, verduras e temperos tem sido uma experiência maravilhosa para todos nós, principalmente para as crianças. Da mesma forma que passei a entender os ciclos da natureza no sítio da minha avó, o Benny e a Vivi começaram a se dar conta de que a vida não acontece simplesmente — há um processo e um ritmo para tudo na Terra. Para que um pepino ou morango cresçam, é necessário sol, chuva, solo fértil e, é claro, muito amor e atenção. Sempre que o Benny e a Vivi convidam algum amiguinho da escola para ir lá em casa, uma das primeiras coisas que fazem é correr até o jardim e colher um minipepino ou um tomate-cereja para comer direto da horta. Quando fazem isso, me lembro da minha infância. Parece um ciclo se fechando.

Chamego no café da manhã na Costa Rica, em 2015.

Existe ferramenta de ensino melhor que uma horta?

Ter uma horta também ensinou meus filhos sobre os desafios enfrentados por qualquer coisa viva. Temos uma profissional de jardinagem maravilhosa que vem nos auxiliar, o Benny e a Vivi adoram ajudá-la a colocar joaninhas nas plantas, para que afastem predadores. Eles entendem como as plantas são ameaçadas por ratos-do-mato ou coelhos, ou até por algum cervo que pule a cerca. À medida que meus filhos crescem, sentem mais orgulho de ajudar a preparar a própria comida. Eles entendem que os legumes, as verduras e os temperos que plantamos na horta têm um papel importante na nutrição do corpo *deles*. Também entendem que algumas de suas frutas favoritas — mirtilos, morangos — às vezes não estão disponíveis porque estão fora de época. Eles sabem quanto as coisas podem ficar difíceis para os agricultores locais no outono ou no inverno, os desafios do cultivo em estufa e como uma nevasca ou uma chuva de granizo repentino, por exemplo, podem fazer o telhado de uma estufa cair. Consequentemente, eles têm uma compreensão maior do esforço, do comprometimento e do amor necessários para ser um agricultor.

No futuro, gostaria de aprender mais sobre ervas medicinais, já que alguns dos remédios mais poderosos à nossa disposição vêm da natureza. Como cresci com minha mãe preparando chás especiais quando minhas irmãs e eu ficávamos doentes, sempre fui fascinada pelas formas como a natureza pode nos curar. Não tenho nada contra a medicina ocidental, mas nas raras ocasiões em que não me sinto bem, sempre recorro à medicina natural. Se tenho febre, significa que meu corpo está tentando me

Tom — com a Vivi de ajudante — conferindo os novos canteiros que acrescentamos à nossa horta nos fundos da nossa casa em Boston, em 2017.

dizer alguma coisa. Às vezes, só ficar sentada numa banheira com água em temperatura ambiente é um ótimo jeito de fazer a temperatura do corpo voltar ao normal. Se tenho dor de cabeça, primeiro bebo muita água e depois faço uma massagem de leve nas têmporas com óleo essencial de hortelã-pimenta. Melhor ainda é me deitar um pouco, e geralmente a dor de cabeça desaparece.

Minha avó era meio curandeira. Minha mãe me contou que, quando alguém no vilarejo dela ficava doente, primeiro chamavam a vó para descobrir se podiam se tratar com ervas medicinais em vez de ir para o hospital, que ficava bem longe. Se uma de nós começava a apresentar sintomas de resfriado ou gripe, ela nos preparava um chá e passava óleo de hortelã-pimenta na sola dos nossos pés, cobria os dois com meias e nos mandava para a cama. Quando tínhamos tosse, ela cortava uma cebola e colocava as rodelas em nosso quarto ou as prendia em nosso pijama, além de garantir que estávamos hidratadas e tínhamos ingerido bastante vitamina C, faço o mesmo com as crianças quando elas têm febre. E funciona, sou testemunha. Algumas vezes, quando as crianças começam a sentir dor na garganta, uso um método que aprendi com minha mãe. Embebo um pano no leite bem gelado, dobro o pano como uma compressa, cubro a parte externa com plástico filme e coloco outro pano por fora para prender ao redor do pescoço deles. Fica meio fedido no dia seguinte, mas em geral a dor de garganta desaparece — e não faço ideia do motivo. Além disso, como o limão é um desinfetante natural, se alguém lá em casa fica doente, corto um limão pela metade e deixo as metades viradas para cima na cômoda ao lado da cama deles. No inverno, também gosto de preparar um chá com mel de manuka, três ou quatro limões picados e gengibre ralado na hora, principalmente se as crianças e eu estivermos sentindo os primeiros sintomas de resfriado.

E se uma das maiores lições que a natureza pode nos ensinar é sobre o ritmo das estações, então, imaginem o que é ser uma brasileira sobrevivendo a um inverno na Nova Inglaterra! Já sobrevivi a dez deles! Se tivesse que escolher entre inverno e verão, não pensaria duas vezes. Nada me deixa mais feliz do que ficar de pés descalços e com uma roupa bem levinha. Como cresci num clima tropical, naturalmente ia preferir morar onde é mais quente, mas também adoro a beleza das estações na Nova Inglaterra. Porém, o inverno pode ser rigoroso. Não fico deprimida por causa da noite prolongada, mas morro de frio o tempo todo, e sou o tipo de pessoa que fica literalmente roxa quando está com frio. Mas, quando aprendi que o segredo para sobreviver a esse tipo de clima são as camadas — suéter, jaqueta acolchoada, calça de ski, casaco, meias, luvas, deixar só os olhos à mostra —, vi que o inverno pode ser uma época do ano linda e aconchegante. Também gosto de esquiar, o que tenho feito regularmente há mais ou menos quatro anos, embora passasse a maior parte do tempo caindo de bunda no chão enquanto ainda estava aprendendo. As crianças já esquiam bem melhor que eu, e o Jack desce a montanha voando, o que me faz lembrar de como é bom começar a aprender um esporte (ou um idioma) tão cedo quanto possível. Ainda fico nas pistas para iniciantes!

Posso passar os meses de inverno sonhando com um tempo mais quente, mas o Benny e a Vivi, que nasceram em Boston, amam o inverno, e adoram principalmente sair de casa e fazer bonecos de neve, anjos no gelo ou guerra de bola de neve. Eles são *New Englander*s de fibra. Às vezes, mesmo quando estou com três camadas de roupas, ainda sinto frio, enquanto a Vivi, só de suéter, me diz que está morrendo de calor. Meus momentos preferidos em dezembro e janeiro são quando neva lá fora mas estou dentro de casa, com uma calça de moletom felpuda e meias confortáveis, sentada diante da lareira, lendo um bom livro — mas, para ser honesta, isso raramente acontece, já que estou sempre na maior correria fazendo um milhão de coisas ao mesmo tempo.

A natureza é linda e inspiradora, não importa a estação.

Ela também foi minha inspiração na hora de ter meus filhotes. (Até os nomes do meio deles são inspirados nela: Rein [chuva] e Lake [lago].)

Sempre sonhei com um parto natural em casa. Para mim, é o meio mais pacífico e bonito de uma criança vir ao mundo. Desde que minha irmã gêmea, Pati, teve pneumonia dupla quando tínhamos 10 anos, sinto uma forte aversão a hospitais. A ideia de fazer o parto em casa não só parecia natural e correta, mas também me conectava a uma sensação mais profunda de poder. Tinha a ver com confiar no meu corpo e no meu criador para trazer uma nova vida à Terra. E não era como se eu fosse a primeira pessoa a considerar a ideia. Até os anos 1900, milhões de mulheres davam à luz em casa. Porém, quando engravidei do Benny, muitas pessoas chamaram minha atenção para o fato de que pouquíssimas mulheres atualmente tinham filho em casa. Bem, acho que eu seria uma delas.

Alguns anos antes de engravidar, conheci a Mayra, uma jovem muito especial que estava estudando para ser doula. Mayra argumentou que os bebês basicamente flutuam em água dentro da barriga das mães — e que o modo mais suave e mais tranquilo para um recém-nascido vir ao mundo era dentro d'água. Isso não saiu mais da minha cabeça. Soube, depois daquela conversa, que teria meu bebê na água. Disse a Mayra que adoraria que ela estivesse comigo durante o parto. Alguns meses antes de Benny nascer, liguei para ela e disse: "Você está pronta? Vamos nessa!" Algumas mulheres, contou Mayra, davam à luz no mar, enquanto outras o faziam numa banheira. Escolhi a banheira — uma decisão fácil, já que era dezembro, e estávamos no meio do inverno de Boston. Comecei a assistir aos muitos vídeos sobre parto na água que ela havia me recomendado. Num primeiro momento, a maioria das pessoas próximas a mim, incluindo Tom, achou a ideia perigosa. Mas minha mãe me apoiou incondicionalmente e esteve do meu lado quando meus dois filhos nasceram.

Na cozinha do nosso antigo apartamento na Beacon Street, em Boston. Era 2009, poucas semanas antes da chegada do Benny.

Tom e eu estávamos em Los Angeles com o Jack durante o recesso da temporada de futebol americano quando fui a um obstetra para a consulta dos quatro meses. O médico que me atendeu disse que era perigoso demais ter o bebê em casa. Falou que o Benny não estava na posição certa, que meus quadris eram muito estreitos, e que as condições não estavam a meu favor. Disse que era melhor eu marcar uma cesariana. E, como mencionei, o Tom também não estava lá muito animado com a ideia do parto domiciliar. Só depois que fiz com que ele assistisse a meia dúzia de documentários sobre parto natural é que finalmente concordou. (Ou talvez Tom simplesmente não aguentasse mais ver vídeos de parto natural.)

Falei ao obstetra que ia ter meus filhos em casa. Minha atitude foi a mesma que tive no colégio: *Não acho que cabe a você tomar essa decisão!*

Ninguém ia me convencer do contrário. Comecei a pesquisar mais e logo encontrei Deborah, uma parteira muito experiente. Ela já havia feito centenas de partos em casa. Era amorosa e gentil, exatamente o tipo de pessoa que eu queria ao meu lado quando fosse ter meu bebê. Deborah me explicou em que posição Benny estava no útero — não pareceu nem um pouco preocupada com isso — e me lembrou de que eu não tinha problemas de saúde e que era jovem e totalmente capaz de levar aquilo adiante. Ela não tinha preocupação alguma e estava confiante de que eu teria um parto domiciliar bem-sucedido.

Meu plano era dar à luz na minha banheira, embora tenha ignorado um detalhe importante: eu tenho 1,80m, e a banheira era, bem, não muito maior que isso. Fiquei em trabalho de parto por 16 horas durante o parto do Benny, e as últimas três passei dentro da banheira, com Mayra, Deborah, Tom e minha mãe repondo a água quente sem parar. Toda mulher que já deu à luz sabe que esta é uma das experiências mais maravilhosas da vida. Porém, quanto mais intensa era a dor, mais quieta eu ficava. O processo inteiro estava se desenrolando entre mim, meu Deus e meu filho. Krishna Das tocava baixinho ao fundo, e eu estava rodeada de velas reluzentes. Fechei os olhos e permaneci concentrada na minha respiração, sabendo que, a cada contração, eu chegava mais perto. Como sempre, eu tinha um propósito: finalmente ia conhecer aquele serzinho que vinha carregando dentro do meu corpo por nove meses. Já ia ver seu rostinho! Meu claro senso de propósito tornou a dor mais suportável. A vida inteira tinha rezado para meus anjos da guarda, mas, durante o trabalho de parto, fui direto a Deus.

Quando o Benny chegou, senti, mas não pela primeira vez, que, de alguma forma, estava fora do meu corpo vivenciando aquele momento de duas perspectivas diferentes. Podia me ver na banheira, como se estivesse assistindo a um filme, testemunhando tudo de cima, simultaneamente sentindo uma onda de energia enquanto continuava a respirar. Estava vendo meu filho nascer de cima e, ao mesmo tempo, totalmente imersa na experiência de dar à luz. Sempre me perguntei como aquilo podia estar acontecendo. Talvez seja porque, num momento como aquele, o véu entre o mundo terreno e o mundo espiritual fica mais tênue. Sei lá — tudo que sei é que foi mágico!

O parto da Vivi, três anos depois, foi um pouco diferente. Tendo aprendido minha lição com a banheira, comprei uma especial para parto com quase dois metros de diâmetro e que vinha com aquecedor para a água. Não só me manteve aquecida, como também me deu espaço suficiente para me movimentar. A menos que uma mulher seja muito pequena, recomendo comprar ou alugar uma banheira de parto (dei a minha para a Mayra, para que outras mamães pudessem usá-la). Mais uma vez, Krishna Das estava cantando, e as velas cintilavam. Tom estava dentro da banheira comigo, e minha mãe, Deborah, Mayra e minha irmã Fafi estavam à nossa volta. Fico tão feliz por ter estado acordada e consciente quando dei à luz aos meus dois filhos. Sim, a dor às vezes é difícil de suportar, mas me concentrar na respiração ajudou a aliviar a dor. Ter

Eu e meu doce bebê, com uma semana de vida, em dezembro de 2009.

meus filhos em casa foram duas das experiências mais extraordinárias da minha vida. Eu tinha tomado uma decisão, confiado em mim mesma e que tudo daria certo, e deu. Sou tão grata por isso.

Eu me lembro de ficar deitada na cama com cada um dos meus filhotes logo depois que nasceram e pensar*: A natureza é milagrosa, a vida é realmente mágica — assim como nosso corpo, que é capaz de gerar uma vida, e como é incrível sentir uma afinidade instantânea com um ser que você acabou de conhecer.*

Também percebi um novo tipo de força dentro de mim. Eu me senti como Kali, a deusa hindu do tempo, da criação, da destruição e do poder — me senti invencível. Podia quebrar uma rocha ao meio com os dentes! Podia partir uma montanha em duas! Podia abrir mares! Kali também é ligada à morte. Quando um bebê nasce, a mãe dá um passo para trás. Uma parte dela morre. Foi também a morte da consciência de mim mesma

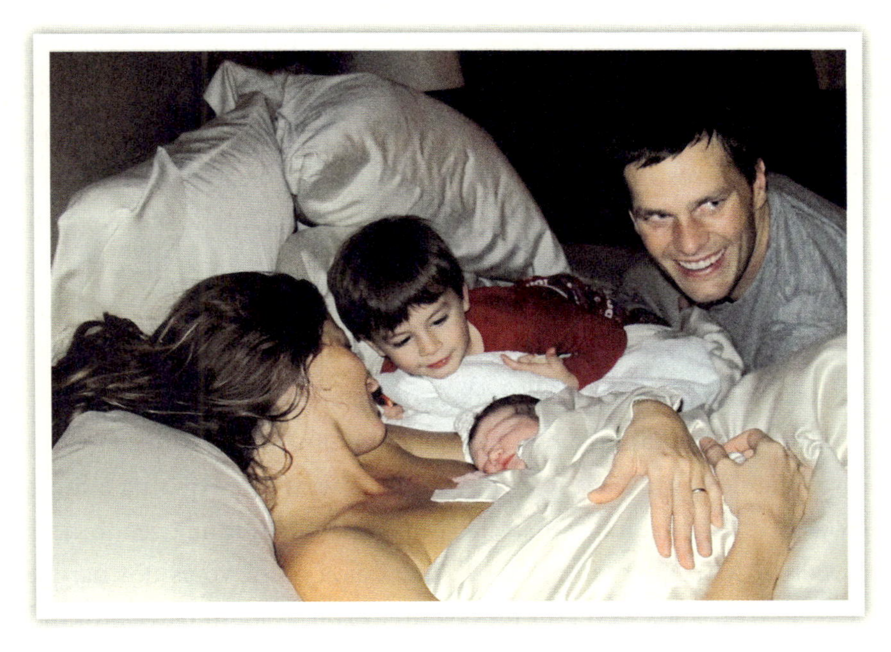

Logo após o parto da Vivi, o Benny veio à nossa cama animado para conhecer a irmãzinha.

como ser único, do ego, de colocar a mim e às minhas necessidades em primeiro lugar. O parto é uma metáfora para muitos aspectos da vida, porque exige muito esforço, e só depois que passamos pelo teste é que recebemos a recompensa.

Em 2008, criei com meu pai um programa dedicado a recuperar a qualidade da água de um pequeno rio na região de Horizontina. Nós o batizamos de Projeto Água Limpa. Foi uma experiência muito gratificante, não apenas porque pude trabalhar com meu pai, mas porque alegra meu coração saber que criamos uma mudança significativa e duradoura na região onde nasci. Após a recuperação das margens do rio, os moradores passaram a ter acesso a uma água mais limpa. Recentemente, minha família decidiu expandir nossos esforços, usando o que aprendemos com o Projeto Água Limpa para iniciar o reflorestamento das margens do rio Jacuí, um dos maiores do Rio Grande do Sul. Estou muito animada para encarar este novo desafio, com a esperança de que, no futuro, outros irão somar esforços para que possamos manter vivo não apenas o Jacuí, mas também mais e mais rios a fim de oferecer água limpa e fresca para todos. Tenho fé de que seremos capazes de trabalhar juntos com as comunidades locais, que por sua vez serão empoderadas para cuidar dos recursos naturais e preservá-los.

Nossa saúde depende da saúde do nosso planeta. Quando maltratamos a natureza, maltratamos a nós mesmos. Sem dúvida, a natureza percebe nossa falta de consciência, e os incontáveis meios pelos quais a estamos explorando e destruindo, mas ela simplesmente continua sendo nossa provedora. Meu sábio amigo Noel, que cuida das árvores dos parques nacionais da Irlanda, certa vez me deu uma explicação simples e profunda sobre o que está acontecendo com a natureza. "Qualquer coisa viva que perca um terço de sua pele", disse ele, "sofre com febre alta e corre grande risco de morrer. Até hoje, nosso planeta perdeu um terço da sua pele — as árvores, o solo, o oceano e a biodiversidade que o cerca. Mesmo assim, em vez de ajudar a plantar e restaurar o que foi arrancado, nós continuamos saqueando e destruindo." Muitas pessoas não dão o devido valor ao planeta, aos alimentos que comemos e à água que bebemos. Muitos acreditam que temos o direito de nos apropriar de tudo o que a natureza tem a oferecer. Mas não temos! *Todos* precisamos contribuir para o futuro do planeta. Esta é a *nossa* terra. *Nossa* água. *Nossas* árvores. *Nosso* futuro. Se queremos continuar a morar neste planeta, é *nossa* responsabilidade arregaçar as mangas e *fazer* alguma coisa para ajudar. Depende de *nós* protegermos a Terra e nos salvarmos. *Nós* somos os salvadores pelos quais temos esperado. *Nós* precisamos honrar o organismo que nos sustenta. *Nosso* futuro está em *nossas* mãos.

Vivi, minha menininha, voando ao pôr do sol, na Costa Rica, em 2016.

Então, por favor, seja tão útil quanto puder. Use seus dons especiais para servir aos outros e tornar o mundo um lugar melhor. Lembre-se: eu, você e todos que vivem na Terra somos uma parte da natureza — e por que estamos aqui se não for para aprender, crescer e ajudar uns aos outros?

7

Cuide de seu corpo para que ele possa cuidar de você

Antes de começar este capítulo, sinto que devo abordar um assunto em particular, mas farei isso rapidinho, porque ele me deixa um pouco desconfortável. Já ouvi que muitas mulheres gostariam de ter um corpo como o meu. Também sei que várias pessoas têm curiosidade sobre a minha alimentação. Há muitas características de que realmente gosto no meu corpo — sou naturalmente atlética e me orgulho disso — e muitas coisas de que não gosto, incluindo meus ombros, que já desloquei umas *nove* vezes cada um. Muitas mulheres já me disseram que gostariam de ser altas como eu. Minha altura, no fim das contas, acabou sendo uma vantagem (ser modelo! jogar vôlei!), mas não fui eu que escolhi ter 1,80m. Principalmente na adolescência, quando só o que a gente quer é se enturmar, fica difícil passar despercebida quando se é dez, 15 centímetros mais alta que a maioria dos seus amigos.

O corpo que eu tenho é o que me foi dado — não esqueça que quatro das minhas irmãs são uma cabeça mais baixas que eu, e nem toda a couve e todo o leite de coco do mundo as deixaria mais altas. Muitas pessoas parecem ter a impressão de que sigo uma dieta especial ou um plano de exercícios específico para obter uma determinada aparência. A verdade é que, quando era mais nova, não precisava fazer muita coisa para manter a forma. Afinal de contas, *sou* modelo, e meu biótipo é mais esguio, com ossos menores. Mas, aos 38 anos, meu metabolismo desacelerou, e hoje presto muita atenção ao que como. Sigo uma alimentação saudável e faço exercícios diariamente, com um simples intuito: me sentir bem. Você se lembra dos ataques de ansiedade que relatei? Eles se revelaram uma força motivadora incrível na minha vida. Se você já teve um, vai entender por que digo que nunca vai querer passar por isso de novo. Meus ataques de pânico me trouxeram muito mais motivação do que qualquer prazer que eu possa sentir ao me olhar no espelho.

Sei que muito se fala sobre o que as pessoas devem ou não devem comer. A internet, em particular, é uma salada de informações, muitas delas contraditórias e confusas. Lembra quando ovo fazia muito bem para a saúde, depois passou a fazer muito mal, e agora é bom para a saúde de

Preparando a canja especial da minha mãe, poucos dias antes do Benny nascer, em Boston, em 2009.

novo? Como saber no que acreditar? Diante do *Coma isso, beba aquilo — não, peraí. Não! Peraí! Sim!*, sem dúvida muitas pessoas simplesmente desistem. Se os especialistas parecem discordar sobre o que é saudável ou não, nós podemos muito bem comer pizza, hambúrguer, costelinhas, bacon, nuggets, sorvete, refrigerante, chocolate e macarrão com queijo. A vida é curta, por que não comer o que a gente quer?

A questão é que não só estamos nos arriscando a ter uma vida mais curta se não prestarmos atenção ao que botamos para dentro, como também ficamos vulneráveis a doenças e à infelicidade.

Meus ataques de pânico transformaram completamente o modo como eu me alimentava. A primeira mudança que fiz foi cortar o açúcar por três meses. Não foi fácil. Meu jejum de açúcar de noventa dias terminou em julho, bem perto do meu aniversário. (Nasci sob o signo de Câncer, e nós caranguejos gostamos de comer.) Lembro que cheguei a um estúdio fotográfico e alguém tinha sido legal e me comprado um bolo de chocolate (meu preferido). Não estava planejando reintroduzir o açúcar na minha vida, mas foi um gesto de tanta consideração que não quis ser mal-educada. Quando comi uma fatia pequena — o primeiro açúcar de qualquer tipo que ingeria após três meses —, não me senti bem e fiquei superelétrica. Mal consegui me concentrar pelo resto do dia. Meu médico tinha me lembrado de que havia açúcar em pães, massas, sucos, biscoitos, cereais matinais, barrinhas de cereal, refrigerantes, energéticos — a maioria dos alimentos industrializados contém muito açúcar em sua composição. Não é de se estranhar que as crianças fiquem subindo pelas paredes quando seguem uma alimentação rica em açúcar. Depois dessa minha desintoxicação, uma simples fatia de bolo me deixou muito agitada! Esse episódio serviu para mostrar quanto esse tipo de açúcar realmente me faz mal.

Mesmo depois de cortar todos os tipos de açúcar, a cafeína e o álcool da minha vida, foi só quando o Benny nasceu que comecei a me alimentar da maneira como faço hoje em dia. Saber que tudo o que eu comia ou bebia passava através do meu leite para o meu bebê, afetando sua saúde, seu sistema imunológico e sua energia, me levou a repensar ainda mais meus hábitos. Não estava mais comendo só por mim. Por um período, fiquei meio obcecada com a composição nutricional dos meus alimentos, embora tenha relaxado um pouco quanto a isso com o tempo. (Acredito que pensar demais no que se come é quase tão ruim quanto ignorar o assunto.) Depois que comecei a introduzir hábitos mais saudáveis na minha alimentação, o resto da família naturalmente seguiu os mesmos passos.

Fazer mudanças na alimentação é algo que funciona num ritmo diferente para cada um. Percebi isso com a minha família aqui no Brasil — minha mãe, meu pai, minhas irmãs e suas famílias. Uma vez por ano nós nos reunimos, e é quando os primos têm a oportunidade de brincar juntos e fortalecer os laços. Geralmente nos encontramos na Costa Rica.

Com o Benny na Costa Rica, em 2010.

Encontro de família na Costa Rica, em 2014.

Já faz anos que só preparo comidas saudáveis. Num primeiro momento, houve algumas reclamações. Alguns integrantes da família costumavam ir ao supermercado para comprar "complementos", para não ficarem sem seus biscoitos e refrigerantes preferidos. Isso me chateava: *Será que a gente não pode comer só coisas saudáveis durante dez diazinhos? Por favor?* Mas, conforme os anos foram passando e os encontros em família continuaram, aos poucos, eles começaram a mudar seus hábitos alimentares, e hoje quase todos os meus familiares têm consciência do que estão comendo e do quanto se sentem melhor quando se alimentam de forma mais saudável. Fico tão feliz ao ver minhas irmãs e suas filhas se alimentando melhor. Vivemos trocando receitas saudáveis no nosso grupo da família no WhatsApp. Também compartilhamos remédios naturais e dicas de saúde. Hoje em dia, quando todos nos reunimos, não há mais reclamações sobre a comida, muito pelo contrário, todo mundo fica empolgado com o cardápio!

Na hora de escolher o que comer, penso no que vai me trazer mais energia e equilíbrio. Com energia quero dizer manter minha vitalidade, para que possa dar o melhor de mim tanto aos que estão à minha volta quanto para o trabalho que quero ou preciso fazer. Isso não significa apenas ter um bom desempenho — mas também me sentir saudável e pensar com clareza. Esse processo exige atenção e auto-observação. Será que um legume e uma fruta específicos, ou um determinado corte de carne ou sobremesa, vão me dar a energia de que preciso e que desejo, ou vão fazer com que eu me sinta cansada e sem forças? Com vinte e poucos anos, quando não dava a menor bola para o que comia, meu almoço costumava ser cheeseburger e batata frita, e meu jantar, um pratão de massa com molho de tomate e queijo. Depois, a única coisa que eu tinha vontade de fazer era me deitar encolhida e dormir. Para aumentar minha vitalidade ao fim de uma refeição, eu bebia uma xícara de café com muito açúcar, e, quando o efeito da cafeína passava, tomava uma segunda xícara, e talvez uma terceira. Depois de tanta cafeína, eu não conseguia mais nem pensar.

Agora tenho consciência de que não posso simplesmente me dar ao luxo de me sentir cansada ou desanimada, muito menos ansiosa ou confusa. O tempo é curto, e odeio desperdiçar um segundo sequer. Se me alimento mal, gasto muita energia só tentando me sentir normal de novo. Por que me sujeitar a isso se não sou obrigada?

No que diz respeito a equilíbrio, Tom e eu adotamos o pensamento *Moderação em todas as coisas*. Meu marido gosta de dizer: "Qualquer coisa, mesmo que boa, quando em excesso não é bom — e uma coisa ruim em excesso é só muito ruim mesmo." Pensando bem, o excesso de qualquer coisa — seja álcool, cafeína, açúcar, corrida ou sol — não é bom para ninguém. É uma questão de bom senso. Por exemplo, de vez em quando posso até tomar uma ou duas xícaras pequenas de café, em geral quando pego um voo noturno e depois tenho que ir direto para um estúdio fotográfico. A diferença é que agora entendo que a cafeína é um estimulante poderoso, e eu a trato como tal. Em ocasiões especiais, posso comer uma fatia pequena de bolo — mas, quando faço isso, sei exatamente como meu corpo vai reagir e que haverá um preço a pagar. (Só para constar, eu amo doce, mas opto por sobremesas mais saudáveis sem açúcar refinado.) Agora que já faz muitos anos que adotei uma dieta limpa, sinto o efeito do açúcar e da cafeína assim que entram no meu organismo.

Quando comecei a pensar na comida em termos de me dar ou tirar energia, me tornei mais consciente sobre o que comer e o que não comer. Não chamo meu padrão alimentar de dieta, sigo hábitos alimentares saudáveis para manter um alto nível de vitalidade e de clareza de raciocínio a fim de ter uma vida produtiva e mais agradável. Esse mesmo pensamento motiva meus exercícios matinais. Não malho apenas para perder ou manter o peso, mas para manter a mente alerta e o corpo energizado. Quando faço exercícios todos os dias, me sinto menos estressada, além de sentir um aumento no meu nível de energia para dar conta de todas as coisas que quero e preciso fazer.

Quando conheci Tom, ele geralmente comia o que serviam no refeitório da sede do time dele. Comida superpesada e não das mais nutritivas. Mas ele já estava começando a fazer uma transição para uma alimentação mais saudável, lanchando oleaginosas e frutas. Algumas semanas depois de nos conhecermos, fomos com o amigo dele, Kevin, jantar num lugar

Fazendo ioga grávida da Vivi, em 2012.

que, na época, era meu preferido para se comer em Nova York, um restaurante orgânico e vegano em Irving Place, no East Village. Alguns itens do cardápio continham castanha de caju. Como de costume, pedi uma salada grande com vários tipos de legumes e verduras (e algas) com biscoitos integrais de sementes de acompanhamento. "Eles têm bife aqui?", lembro que o Kevin perguntou. Quando o Tom terminou de comer, quis saber quando a comida de verdade seria servida. Foi meio engraçado ver aqueles dois grandalhões tão confusos sobre o que estavam comendo, mas a boa notícia é que ambos saíram do restaurante satisfeitos, e o lugar também se tornou um dos restaurantes favoritos do Tom em Nova York.

Em 2008, Tom rompeu o ligamento cruzado do joelho logo no primeiro jogo da temporada. Decidiu operar em Los Angeles para ficar mais perto do Jack, que na época tinha só um mês. Não foi uma recuperação fácil, por causa de uma série de infecções bacterianas. Tom ficou de cama durante meses. Em uma sessão de fotos, conheci um buffet que entregava uma comida orgânica deliciosa nas locações. Perguntei se eles teriam interesse em trabalhar para nós. Eles concordaram e começaram a entregar comida na nossa casa três vezes por semana. Depois que o Tom passou a comer alimentos orgânicos, deliciosos e livres de conservantes e aditivos químicos, começou a se sentir muito melhor, e não foi difícil, para ele, abandonar os antigos hábitos alimentares. Nós dois decidimos que queríamos manter essa dieta mesmo depois de voltarmos para Boston. Ambos nos sentíamos mais fortes, com mais energia e com um raciocínio mais ágil. Até posso ter sido a responsável por apresentar uma alimentação mais saudável ao Tom, mas, como ele já era muito dedicado e disciplinado sobre questões de saúde, nossas preferências combinaram naturalmente.

Hoje a alimentação da nossa família evoluiu para uma alimentação baseada em vegetais e comida integral que inclui, na maior parte das vezes, ingredientes locais e orgânicos, como legumes crus ou levemente cozidos no vapor, frutas, verduras e grãos integrais, e de vez em quando alguma carne ou frutos do mar.

O sul do Brasil, onde cresci, é uma região com muitas fazendas e ranchos para a criação de gado. Na infância, eu era uma gaúcha típica que comia carne quase todos os dias. Muitos anos depois — em duas ocasiões diferentes — tentei virar vegetariana. Amo animais. E o fato de me alimentar deles me incomodava demais. A primeira vez durou quase um ano e meio. Mas fiquei extremamente anêmica, apesar de comer muito feijão, lentilha e grão-de-bico para garantir a ingestão de uma quantidade suficiente de proteínas. Minhas unhas ficaram quebradiças, e, quando examinava a pele sob os olhos, via que aquela região estava branca em vez de avermelhada. Nem os suplementos de ferro e vitamina B12 ajudavam, e me sentia cansada o tempo todo. Quando relatei os sintomas para o meu médico, ele sugeriu que eu reintroduzisse a carne à minha alimentação. Claro que não era o que eu queria ouvir.

Na Amazônia durante as filmagens da série documental *Years of Living Dangerously* [O planeta em perigo], em 2016.

Dois ou três anos depois, fiz minha segunda tentativa de me tornar vegetariana. Achava que seria possível, já que comia muito pouca carne. Durou só dez meses, e fiquei com anemia de novo. Não tenho certeza se isso tem a ver com meu tipo sanguíneo, com meu biótipo, ou sei lá o quê, mas hoje aceito o fato de que uma dieta 100% vegetariana não funciona para mim.

Atualmente, como carne duas vezes por mês e frutos do mar uma vez por semana. Presto muita atenção à origem da carne e dos tipos de peixe que como. Depois que meu médico me explicou que peixes grandes, como atum e peixe-espada, contêm maiores concentrações de mercúrio, resolvemos passar a comer apenas peixes menores.

Também adoro cozinhar. Costumava cozinhar o tempo todo. Antes de me casar, minha irmã Fafi morou comigo em Nova York durante quatro meses. Todas as noites, quando voltava do estúdio, eu preparava o jantar para nós duas. (Afinal, me considero a segunda mãe dela.) Hoje, minha agenda é muito mais cheia, e tenho que priorizar as coisas, o que significa que não cozinho com tanta frequência, mas de vez em quando encontro tempo para preparar sobremesas saudáveis. Temos muita sorte em poder contar com a Susan, que vem à nossa casa cinco vezes por semana para preparar refeições saudáveis para a família inteira. As crianças adoram ficar com ela na cozinha dando uma ajudinha e aprendendo com seu talento e suas dicas. Com a minha mãe morando tão longe, é maravilhoso que o Benny e a Vivi tenham a oportunidade de passar um tempo com a Susan, que passa essa energia de avó. Ela é afetuosa e amorosa, e a comida dela é sempre saudável, nutritiva e deliciosa. Susan também se dedica à compostagem e a selecionar alimentos que estejam na época, e sabe muito sobre agricultura. Ela até ajuda as crianças a plantarem legumes, verduras e temperos na nossa horta.

Além da horta, mantemos também duas colmeias. Desde que soube que as abelhas estão morrendo por causa dos agrotóxicos, decidi fazer algo pra ajudar e ainda acabamos nos beneficiando do seu mel fresco (dizem que o mel local pode ajudar a aliviar alergias), que usamos quando queremos adoçar os alimentos.

Muitas das sobremesas da nossa família são uma mistura de abacate com coco. Pelo que sei, são os melhores tipos de gordura que existem. Seja quando fazemos sorvete ou uma mousse — e se estou querendo um sabor extra de chocolate, meu favorito —, usamos uma combinação de abacate, banana e cacau 100% em pó, que nos dá uma base bem cremosa e deliciosa.

Como já mencionei no início do livro, depois de bochechar com óleo de coco e meditar, começo minhas manhãs bebendo um copo de água morna com suco de meio limão. Meia hora depois, enquanto preparo o café da manhã e arrumo as lancheiras das crianças — se não tiver comido o resto do café da manhã *deles* —, bebo um copo de suco verde. Em geral preparo uma mistura de aipo, pepino, meia maçã vermelha ou verde, cúrcuma, gengibre, suco de limão e, às vezes, couve e beterraba. Se estiver no meu período menstrual, faço um suco só de beterraba e limão para garantir uma dose extra de ferro e vitamina C. Se planejo malhar pesado, preparo um *smoothie* usando frutas vermelhas frescas ou congeladas, uma colher cheia de cacau em pó, linhaça, chia e um pouco de leite de coco. Às vezes acrescento uma banana ou uma colher cheia de manteiga de amêndoa caseira ou proteína em pó. Também tomo vitaminas e sempre levo uma bolsinha delas comigo quando viajo. Em geral, prefiro obter minhas vitaminas da verdadeira fonte, a comida. Mas tomo vitamina C e um multivitamínico do complexo B para me proteger contra a fadiga e uma possível anemia, e também vitamina D para proteger os ossos. Faço acupuntura e, duas vezes por ano, meu médico me dá injeções de vitaminas, incluindo C, B12 e magnésio. Geralmente faço isso antes do começo do inverno, quando todos ficamos mais propensos a adoecer.

Duas vezes por semana, procuro não comer nada até a hora do almoço, mesmo se for malhar. Sempre me sinto incrivelmente energizada depois desse minijejum. O corpo usa muita energia para digerir os alimentos, e acho uma boa dar um descanso ao sistema digestivo de vez em quando. Há vários relatos sobre os benefícios do jejum. Sinto que uma dieta líquida me ajuda sempre que fico doente, quando o corpo quer apenas sopas ou chás. Às vezes reservo um mês por ano para não ingerir nenhum tipo de açúcar, o que inclui o açúcar das frutas e os açúcares dos grãos ou do álcool.

Também sou adepta de porções pequenas, mais ainda com o passar dos anos. Muitas pessoas acham que, para ficarmos fortes e saudáveis, precisamos comer muito. Pelo contrário. Quantidades menores de comida não sobrecarregam a digestão nem nos deixam exaustos. Quando eu era pequena, minha mãe só deixava a gente sair da mesa depois de raspar o prato. Ela nos lembrava de como tínhamos sorte por ter o que comer, e que muitas pessoas no mundo passavam fome. Durante anos me senti culpada sempre que deixava comida no prato, ainda que só um tiquinho. Comia até não sobrar nada, o que me deixava empanturrada e exausta. Hoje, só me sirvo de porções menores, que sei que vão me satisfazer, sem me deixar com um peso no estômago ou cansada. Também me sinto mais leve, mais disposta e pronta para encarar o dia.

A comida existe para nos energizar, não para nos fazer cair no sono. É por isso que meu almoço geralmente consiste numa salada, com alguns biscoitos de sementes e abacate, ou numa tigela de sopa com grão-de--bico e uma variedade de legumes. Outra comida de que gosto para o almoço, principalmente no verão, são rolinhos primavera vegetarianos com folha de arroz e com molho tahine para acompanhar (não é frito, por isso é mais leve). Esta versão de rolinhos primavera é fácil de fazer. Junto uma ou duas fatias de maçã ou abacate, repolho picado e algumas tiras de cenoura e pepino e os enrolo numa folha de arroz previamente hidratada. Dois ou três rolinhos em geral são suficientes para me deixar satisfeita. São leves, perfeitos e deliciosos, principalmente com o molho. Eu poderia literalmente beber o molho de tahine, de tão bom que é!

Apesar do que você pode ter lido por aí sobre nossos hábitos alimentares, nossa família não evita radicalmente os laticínios. A verdade é que adoro queijo de cabra e de ovelha, embora tenha passado a evitar os

Tomando picolé de fruta caseiro com minha menininha, na Costa Rica, em 2014.

laticínios de vaca desde que fiz um exame que acusou que tenho intolerância à lactose. Bebo leite de coco feito em casa, leite de amêndoas ou leite de arroz. Esses são os três tipos de leite preferidos da nossa família. (O meu é o de coco.) Quando recebo amigos para jantar, com frequência sirvo um prato com queijo, frutos secos e um pouco de mel para acompanhar. Mas não dois quilos de queijo, apenas uma porção pequena — um Midnight Moon, um Manchego e talvez um queijo de castanha de caju. Acho difícil a gente se privar de uma coisa que adora, e eu amo queijo, porém como com moderação. Da mesma forma, não cortamos o glúten completamente, o evitamos. Quando comemos trigo, é do tipo orgânico e integral. Em casa, fazemos massa mais ou menos uma vez por semana, em geral massa de arroz ou quinoa, que acho mais saborosa que a massa de farinha de trigo de qualquer forma, e todos adoramos quando o Tom prepara suas panquecas especiais sem glúten nos fins de semana.

Acho que a essa altura já deu para perceber que não sou rígida demais quanto à alimentação. Talvez por isso eu viva beliscando. Durante o dia dá para me flagrar com um punhado de amêndoas torradas temperadas com ervas, ou sementes de abóbora (minhas preferidas), na mão. Também gosto de sementes de girassol e de *chocolate amargo*, minha obsessão.

Se o primeiro amor do meu marido é o futebol americano, o meu é chocolate amargo. Como chocolate todos os dias, mesmo que seja só um pedacinho; e, se estou na TPM, como bem mais que só um pedacinho. Depois do almoço, *sempre* como uma sobremesa pequena, em geral alguma coisa feita com coco ou, de novo, chocolate amargo, embora raramente à noite, já que a cafeína do chocolate pode me fazer perder o sono.

O lanche favorito na nossa casa é pasta de grão-de-bico (homus) acompanhada de aipo, cenoura e pepino picados. É também o que costumamos oferecer aos nossos amigos quando nos visitam ou o que levamos para a escola do Benny e da Vivi quando há algum evento lá. Não bebo álcool com muita frequência, mas, quando o faço, gosto de vinho tinto, ou tequila, em ocasiões especiais. Se estiver de férias no verão, até bebo uma margarita. Não sou contra o consumo de álcool, mas, em geral, não gosto do modo como me sinto no dia seguinte. Desde que passei a adotar uma alimentação mais saudável e deixei de beber com frequência, minha tolerância ao álcool ficou bem baixa.

Tenho vontade de comer diferentes tipos de comida dependendo da estação, seja outono, inverno, primavera ou verão. Tom e eu nos associamos a uma fazenda rural comunitária (CSA) nos arredores de Boston. Os sócios recebem uma caixa dos legumes, verduras e frutas da estação. No começo do outono, por exemplo, ganhamos um monte de abóboras — o que também significa que comemos muita abóbora nessa época do ano, preparada das mais diversas maneiras.

A natureza é inteligente; ela nos diz o que devemos comer e *quando*. Assim que me mudei para Boston e tentei adotar uma dieta basicamente

Tom e Vivi com seus óculos escuros, em Cape Cod, em 2014.

vegetariana ou vegana, ia para a cama à noite morrendo de frio, mesmo com o aquecedor ligado no máximo. Mas então aprendi a ouvir meu corpo. Durante os meses frios, tinha desejo de comer sopas quentes e ensopados, raízes e alimentos mais pesados e suculentos que me ajudavam a manter o calor do corpo. No verão, uma sopa cremosa ou um ensopado parece um pouco pesado demais. No clima mais quente, como mais saladas, frutas, legumes e verduras, assim como alimentos crus — em parte porque são nutritivos e refrescantes, e também porque há uma oferta maior deles nessa época do ano. A verdade é que os alimentos produzidos localmente têm um gosto melhor porque são mais frescos. Nada se compara à doçura de um morango em junho.

Ter mais energia é também o objetivo principal por trás dos meus exercícios matinais. Sou uma pessoa que adora usar o corpo, seja fazendo ioga, esquiando (ou, pelo menos, tentando esquiar), surfando, andando de bicicleta ou a cavalo, fazendo kickboxing ou dançando, que é uma das minhas atividades preferidas. Também já tive interesse por artes marciais. Elas podem até ser uma forma de luta, mas acho todas lindas. Sou fã de carteirinha de Bruce Lee. Ele tinha um foco, uma dedicação e uma consciência corporal extraordinários. Durante quase sete anos, cinco dias por semana, pratiquei kung fu e luta com espada e bastão em Boston com Yao, um instrutor chinês incrível. Treinei mesmo durante a gravidez dos meus dois filhos. A melhor parte foi que pude ver quanto evoluía dia após dia. Tom costumava me chamar de *Gise-lee*.

Atualmente, gosto de fazer vários tipos de exercícios. A palavra mais importante nessa frase é *gosto*. A menos que eu esteja doente ou viajando, meus exercícios matinais sempre fazem parte da minha rotina. Encaro os exercícios da mesma forma como encaro todas as outras coisas na minha vida — com 100% de foco e dedicação. Seja fazendo ioga, exercícios com faixas elásticas ou dança, minha abordagem tem menos a ver com querer ser a melhor e mais com querer dar o meu melhor. Penso da seguinte maneira: se reservo um tempo para me exercitar, quero aproveitar ao máximo esse tempo. Qual é o sentido de fazer algo pela metade? Não importa se estou malhando por uma hora — que é o tempo ideal para mim — ou por vinte ou trinta minutos, o importante é a presença, a dedicação e a intensidade, seja lá o que eu estiver fazendo.

Quando estou em Boston, costumo ir duas vezes por semana para a academia do Tom, a TB12, e me exercito com faixas elásticas de resistência. Fafi e eu também fazemos aula de pilates ou de dança no Santuário, às vezes. Adoro fazer exercícios ao ar livre, principalmente na Costa Rica. Lá consigo ficar totalmente integrada e presente na natureza enquanto também faço bem para o meu corpo, meu cérebro e meu espírito. Quando

Espairecendo com a prática de kung fu, em 2011.

surfo, esquio ou ando a cavalo, não sinto que estou "malhando". Ao meu ver, o exercício é como me plugar numa tomada de alta voltagem. Na verdade, fico deprimida e irritadiça quando não consigo me exercitar, e minha vitalidade diminui. Se não tomarmos conta do nosso corpo, o nosso corpo não vai cuidar de nós. Ele é como um veículo. Quando me exercito e me alimento bem, estou ajudando na manutenção do meu veículo para que funcione direito e não quebre. Algumas pessoas malham para ficar com um corpo lindo. Eu me exercito em busca de sanidade e clareza também. Fazer dez minutos que sejam de qualquer tipo de movimento aumenta significativamente minha energia vital.

Não quero jamais que exercícios físicos sejam uma obrigação. Não perco a cabeça nem fico enlouquecida se faltar um dia ou dois. Fazer exercícios físicos compulsivamente pode ser um problema tanto quanto não fazer exercício algum. Se saio para surfar, isso conta como um treino, mas, quando volto para a areia, fecho a manhã com chave de ouro com algumas saudações ao sol, talvez por nenhuma outra razão a não ser alongar os músculos que ficaram tensos na prancha de surfe. Se o Tom e eu estamos esquiando, e fico apenas meia hora nas pistas, faço alguns exercícios com faixas elásticas depois. Se estou no Brasil fazendo um ensaio fotográfico, pratico ioga no quarto do hotel, cerca de meia hora de uma sequência de posições para a abertura dos quadris, de pranchas, pontes e alongamento. Faço o que é possível. O exercício me reconecta com minha respiração e meu corpo. Quando estou malhando, me mantendo consciente da minha respiração, o exercício se torna uma outra forma de meditação. Quando termino, me sinto revitalizada.

Às vezes, porém, podem surgir alguns contratempos. No ano passado, por exemplo, rompi o ligamento cruzado do joelho no primeiro dia de uma semana de férias com as crianças. Foi muito frustrante porque tive que ficar de molho com a perna para o alto pelo resto da viagem. Durante os meses seguintes, o máximo que eu podia fazer era caminhar, e demorei muito tempo para poder retomar minha rotina diária. Agora valorizo, mais do que nunca, quando meu corpo está bem, e compreendo como é importante cuidar bem dele para que eu possa continuar fazendo o que amo pelo máximo de tempo possível. Ficar imobilizada e não poder fazer exercícios regularmente foi muito difícil para mim e sem dúvida me deixou meio deprimida. Foram necessárias paciência, dedicação e perseverança para me recuperar totalmente, mas hoje sou muito grata por sentir meu corpo bem de novo (tirando meus ombros, que ainda precisam de mais tratamento).

Há algo muito gratificante em colocar sua energia em uma atividade específica, digamos, ioga ou uma arte marcial, todos os dias, por um longo período. Você não só acompanha seu progresso, como também é capaz de se aprofundar no treino. Por exemplo, quando você pratica as posturas da ioga regularmente e com muito foco, elas se tornam um portal para a compreensão espiritual. Mais uma vez, o segredo é a dedicação: quanto mais tempo e atenção dedicamos a alguma coisa, melhor nos tornamos naquilo. E, como em tudo, o autoconhecimento ajuda muito na hora de saber o que funciona ou não para o seu corpo. O que dá certo para mim pode não funcionar para você. Minha filosofia é usar o exercício como ferramenta para criar paz interior e clareza. O que ele representa para você? Uma forma de ter um momento de solidão numa longa caminhada ou de interagir com amigos durante uma aula? Você é uma pessoa com muita energia que precisa se exercitar para baixar a bola, ou é mais do tipo preguiçoso que precisa de uma atividade para pegar no tranco? Sua inspiração e vitalidade podem vir de algumas das atividades que eu amo, ou de outra coisa totalmente diferente. Talvez você precise de uma combinação de atividades que se complementam. Não acho que seja coincidência o fato de o esporte preferido do Tom no recesso da temporada ser golfe — sem contato corporal, sem corridas. Nosso corpo e nosso planeta são os únicos lares que temos. Como você quer que seu lar seja para que se sinta melhor e mais feliz? Você está tratando a si mesmo com carinho e respeito de modo a poder pedir e receber o máximo do seu corpo e da sua mente? Se você não deu ao seu corpo a atenção e a nutrição de que precisa, é pouco provável que ele vá oferecer o que *você* precisa em troca.

Se estiver considerando fazer ajustes à sua alimentação, minha principal recomendação é evitar açúcar e alimentos industrializados. Tente comer o máximo de comida *de verdade* e produzida *localmente* que você puder. Se os alimentos orgânicos não forem uma opção para você, certifique-se de lavar tudo com cuidado. Se quiser eliminar o açúcar ou reduzir os laticínios, comece devagar. Vá aos poucos. Veja como o seu corpo reage. Se você sentir mais energia como resultado disso, vai ter uma motivação a mais para continuar. Foi o que aconteceu comigo. Mas não faça o mesmo que já vi algumas pessoas fazerem, ou seja, adotar minha "dieta" como uma espécie de desafio. Em primeiro lugar, minha alimentação evoluiu bem devagar por causa das minhas circunstâncias. E, em segundo lugar, talvez você não reaja à comida do mesmo jeito que eu.

Tendo dito tudo isso... Eu. Amo. Pizza. Algumas noites de sábado, quando o Benny e a Vivi recebem amigos para dormir em nossa casa, fazemos a Noite da Pizza. Tento evitar que ela seja um desastre nutricional ao focar nos ingredientes. (A verdade é que você pode transformar muitos dos seus pratos preferidos — como macarrão com queijo — em comidas mais saudáveis apenas alterando alguns ingredientes.) Um amigo nosso é dono de uma pequena rede de pizzarias chamada Desano, que utiliza ingredientes italianos de alta qualidade, e às vezes ele nos manda pizzas congeladas que preparamos nessas noites especiais de sábado. Os ingredientes são orgânicos, e as pizzas têm pouco queijo, geralmente *burrata* (muçarela de búfala). São deliciosas, finas e crocantes. Obviamente, não tenho coragem de desperdiçar comida, em geral acabo comendo as bordas das pizzas de todo mundo com manteiga. Ninguém nunca vai me flagrar na cozinha à uma da madrugada devorando um pote de sorvete, mas, quando começo a comer manteiga, ninguém me segura. Nada se compara a um bom pãozinho com manteiga. Todos temos direito a uma extravagância alimentar — ou duas, ou três —, e a legítima manteiga francesa e o chocolate amargo são as minhas, junto com um balde de pipoca, por favor, nas noites em que vejo um filme com o Tom.

A essa altura você deve estar se perguntando se o Benny e a Vivi realmente gostam da rotina nutricional da nossa família, já que crianças, em geral, são chatas para comer. Mas eles vêm comendo alimentos integrais desde bem pequenos, então estão acostumados com essa alimentação e gostam de verdade dela.

Imagino que as pessoas tendam a gostar daquilo que lhes é familiar, e é por isso que quem nasce na Inglaterra adora o chá Earl Grey, os australianos amam Vegemite e no sul do Brasil tomamos chimarrão. Nossas papilas gustativas estão preparadas para gostar do que conhecemos, e principalmente, do que conhecemos na infância. Qualquer legume ou verdura que meus filhos possam comer crus — couve-flor, pepino, cenoura, brócolis — eles gostam, além de pasta de grão-de-bico com rodelas de pepino e cenoura, com uma pitadinha de sal do himalaia. É claro que eles também adoram pizza, massa e cheeseburger, que comem uma vez ou outra, quando estamos viajando, mas em casa tentamos manter a alimentação o mais saudável possível.

Quando as crianças estão cercadas de comida de qualidade e são encorajadas a preparar os próprios alimentos, acabam adorando comida saudável. Essa é a Vivi me ajudando a preparar suco verde de manhã, em 2014.

Se meus filhos gostam dos alimentos que comem desde pequenos, isso também é verdade para quem cresceu comendo cheeseburger, batata frita e pizza, pois vai se acostumar a uma comida com muito sal, açúcar e gordura. Se você resolver começar a se alimentar de forma saudável agora, num primeiro momento pode ser que o novo gosto não pareça tão bom, porque o sal, o açúcar e a gordura dos alimentos industrializados não estão presentes. Mas, acredite, você pode mudar seu paladar e ter prazer com uma nova alimentação, e sou a prova viva disso. Para mim, foi uma questão de me dar conta de como me sentia melhor e mais feliz por ter mais vitalidade.

Dito isso, aqui estão alguns meios de introduzir legumes e verduras na alimentação de crianças. Minha mãe costumava picar legumes e verduras e misturá-los com ovos para ajudar a escondê-los. Ou preparava uma canja, que normalmente faço quando o Benny e a Vivi estão começando a ficar gripados. Também é possível refogar os legumes numa frigideira com um pouco de *ghee* (manteiga clarificada, que gosto de usar para saltear), alho e sal marinho; você pode mergulhá-los na pasta de grão--de-bico, em manteiga de amêndoas ou em molho tahine; pode preparar *smoothies* com eles; pode misturá-los a ensopados, sopas e ovos do jeito que minha mãe fazia. Tenho uma amiga que faz cookies de cenoura que levam aveia orgânica e muita cenoura ralada. A família dela adora. Pense no que você gosta e use a sua imaginação.

Depois do jantar, normalmente gosto de tomar uma xícara de chá de camomila, e também ofereço chá para as crianças. Tento não beber nada — seja água, chá ou vinho — enquanto estou comendo. Minha mãe sempre nos ensinou que os líquidos tornam mais difícil a digestão. Basicamente, bebo o que quero antes do jantar, e o mesmo fazem as crianças, mas não durante as refeições. Quando o jantar termina, espero mais ou menos meia hora antes de ingerir líquidos. E, já disse e repito, sou uma grande adepta de porções pequenas. É difícil digerir muita comida de uma só vez. Pense em como você se sente no dia seguinte à ceia de Natal. Minha filosofia é que, se você ainda estiver com muita fome, sempre poderá se servir de novo. Acho que, quando desaceleramos e prestamos mais atenção enquanto comemos, é mais fácil perceber quando o tanque está cheio.

Quando eu era solteira e não tinha filhos, costumava ir a retiros de meditação que duravam de três a quatro dias, onde também ficava em jejum e só ingeria líquidos. O que mais me fascinava era quando, depois de terminado o jejum e de eu retomar a ingestão de alimentos sólidos, a primeira fruta ou legume que eu comia causava uma explosão de sabor na minha boca. Ainda gosto de fazer um *detox* de vez em quando, porque me sinto ótima depois. Contudo, jamais faria um *detox* à base de sucos no inverno, só nos meses mais quentes. Nosso corpo precisa de toda energia e toda gordura que puder obter no tempo frio (e, acredite, faz muito frio em Boston), então reservo os jejuns para os meses de verão. Às vezes, bebo apenas sucos. Também bebo muita água de coco por seu valor nutricional e energético (melhor se bebido direto do coco). Fazer um *detox* realmente ajuda a clarear a minha mente. Os primeiros dois dias de uma dieta líquida podem ser desafiadores, porque, bem, você fica com fome. Para mim, contudo, vale muito a pena. A desintoxicação me proporciona clareza e mais energia.

Mas não faço jejuns como forma de controlar o peso. Mantenho meu peso graças ao meu estilo de vida. Sigo uma alimentação saudável e bebo muita água e chá ao longo do dia. Esteja eu comendo ou me exercitando, o importante é fazer coisas que me ajudem a ganhar mais energia e clareza.

Nós somos o que comemos! Isso não é novidade para quase ninguém, mas vou ainda mais além. Também somos *como* comemos. Levei anos para entender que não se trata apenas do que ponho na boca — e também de como estou comendo —, não só da velocidade, mas também do meu estado emocional. Se estou ansiosa ou alegre na hora das refeições, esses sentimentos também serão ingeridos. A atitude que gosto de manter durante as refeições é de apreciação. Apreciação pelo milagre da natureza, como o das sementinhas que cresceram até se tornarem os legumes e as verduras da minha salada, ou da linda árvore que compartilhou suas frutas comigo. Dedicar um tempo para trazer consciência plena às refeições pode aumentar nosso respeito pela vida e pela natureza. Quando estamos mais em sintonia com o que comemos, nos tornamos ainda mais conscientes de que a natureza nos dá cada elemento que permite ao nosso corpo se desenvolver.

Imagine *não* ter alimento algum na sua frente. Ou, tirando o jejum deliberado, ficar mais que um ou dois dias sem comer nada. Se isso acontecer, e se alguém lhe oferecer algo para comer depois, nesse momento a comida vai se tornar mais valiosa para você do que qualquer outra coisa na face da Terra. Por muito tempo, não me importei com o que comia e com meus hábitos alimentares. Comia de forma automática e sem pensar. Tinha fome, então me alimentava. Também comia depressa, engolindo os alimentos quase sem mastigar, principalmente quando estava com muita fome. Raramente respirava entre as mordidas. Aproveitava a hora da refeição para fazer ligações e reuniões. Não é de se espantar que eu me sentisse meio desanimada e um pouco indisposta depois. O que minha mãe sempre nos dizia quando éramos crianças? Para mastigar bem a comida, pelo menos vinte vezes. Até hoje, quando nossa família se reúne, minha mãe fica em silêncio quando está comendo, realmente apreciando cada garfada.

O modo como uma pessoa come diz muito sobre ela. O que vemos do lado de fora é quase sempre um reflexo do que está dentro. Agora você já sabe que a meditação me ensinou muitas coisas, em particular a importância, e a magia, de estar totalmente presente em cada momento. Quando estamos presentes, nós observamos, ouvimos, experimentamos sensações, sentimos gostos e vivenciamos tudo com mais clareza. Não como tão devagar quanto a minha mãe — ainda estou trabalhando nisso —, mas minha intenção é estar consciente, tentar transformar cada refeição numa forma de meditação. De vez em quando as refeições podem ser um ótimo momento para praticar o estado consciente ao ficar em silêncio, se concentrando na comida, prestando atenção à respiração e observando para onde a mente vaga enquanto se está comendo. Infelizmente a agitação da vida não permite que eu faça todas as refeições dessa maneira, mas, quando faço, me sinto muito bem!

Também acredito ser importante reservar um tempo para nos questionarmos sobre quais emoções associamos à comida. Nós valorizamos o que está diante de nós? Nos sentimos gratos? Nos sentimos culpados sobre o que estamos prestes a comer, ou podemos fazer a refeição com prazer e satisfação? Percebo que as emoções que rodeiam a comida são complicadas e que todo mundo tem alguma "questão".

Tudo isso serve para dizer que se sentar para fazer uma refeição pode ser uma ótima oportunidade de vivenciar a presença e a gratidão.

Vale a pena tentar. Sente-se em silêncio. Agradeça pela comida que está na sua frente e pelo lugar de onde ela veio. Não transforme a refeição numa competição para ver quem come mais devagar, mas coma cada garfada com apreço por todos os nutrientes que você está ingerindo. Veja como se sente ao terminar. A vida é tão atribulada e tão corrida para a maioria de nós que raramente dedicamos um tempo para relaxar e nos centrar. Mas todos precisamos comer. Então, por que não transformar, quando possível, as refeições numa experiência mais consciente?

8

Conhecer a si mesmo

Certa vez alguém me contou uma história sobre um sapo e um poço. É um conto antigo, e talvez você já o tenha ouvido: Era uma vez um sapo que vivia no fundo de um poço. Ele passava a maior parte do tempo na água e nas sombras, e, do seu ponto de vista, o mundo parecia familiar, completo e perfeito.

Já sei tudo o que há para saber, pensava o sapo. *Posso ver cada estrela, cometa e constelação. Consigo distinguir o dia, a noite, o entardecer e o amanhecer. Conheço cada nuvem, cada estrela e cada pássaro que voa pelo céu. Sei tudo o que há para saber sobre a vida.*

Um dia o sapo ficou curioso, então decidiu arriscar e dar um salto para ver se havia alguma coisa além do poço. Quando aterrissou lá fora, mal pôde acreditar no mundo inteiramente novo que havia ao seu redor. Ao erguer os olhos para o céu, no lugar da versão pequena e circular da realidade que tinha conhecido a vida inteira, viu um mundo vasto, em constante mutação e ficou impressionado. Havia mais estrelas, cometas, nuvens, constelações e pássaros do que ele sabia existir. Havia o gramado, as árvores, as rochas e o horizonte infinito. De repente, o sapo ficou consciente da pequenez de seu próprio corpo.

Eu amo essa história — ela diz tanto de um jeito tão simples. Penso muito nela porque, desde que saí de casa para começar a carreira de modelo, tenho estado numa jornada para compreender meu propósito na vida. Estava decidida a sair do poço. Queria crescer e vivenciar o máximo que eu podia na vida. Sempre adorei aprender coisas novas e me aprofundar em temas do meu interesse, sabendo que mesmo com tudo o que eu estudava sempre haveria algo mais a aprender. Com frequência sinto que, quanto mais aprendo, menos sei. Quem eu era aos 14 anos não é quem eu fui aos 20, nem quem sou hoje, aos 38, nem quem serei daqui uma década. Mas algumas coisas não mudam, como meu processo contínuo de aprofundar a compreensão de mim mesma, de outras pessoas e do mundo ao meu redor. O oitavo e último capítulo deste livro, "Conhecer a si mesmo", é o aprendizado que está por trás de todos os outros.

O que poderia ser mais importante do que nos conhecermos profundamente e expandirmos continuamente nosso autoconhecimento? A menos que façamos um esforço para compreender as muitas facetas da nossa natureza, não conseguiremos descobrir o que nos dá alegria e propósito.

"O que você procura está procurando você", escreveu Rumi. Minha busca sempre incluiu livros sobre história, religião, metafísica, misticismo. Li obras sobre cristianismo, budismo e hinduísmo. Li o *Bhagavad Gita* e o *Siddartha*. Li sobre a vida de pessoas que me inspiraram, como Gandhi, Martin Luther King e Krishnamurti. Depois que comecei, foi difícil parar. O que era o chi? O que era dharma? O que era numerologia? O que eram os chakras? O que os antigos egípcios sabiam? E quanto aos maias? Como Machu Picchu foi criada? Quando comecei a meditar e a praticar ioga, ingressei em novos mundos e novas crenças. E continuei minha jornada. Às vezes, minhas viagens eram filosóficas. Às vezes, psicológicas. Às vezes elas tinham a ver com me desafiar para encarar meus medos. Às vezes eram geográficas.

Por exemplo, por ter morado no Japão na adolescência, e mais tarde em Nova York, e por ter viajado pelo mundo seguindo o circuito da moda, pude observar muitas culturas, hábitos e crenças diferentes, e aprendi que na verdade não há um "jeito certo de se viver". No fim das contas, cada um de nós é responsável pela própria vida e pela realidade que está ajudando a criar. Cada um de nós precisa decidir que tipo de ser humano quer ser e para onde deseja direcionar sua atenção. Em que acreditamos? Quais valores queremos seguir? Que tipo de vida queremos ter?

No decorrer das minhas leituras e das minhas viagens, aprendi que algumas ideias hoje populares são na verdade bastante antigas. *Conhecer a si mesmo* é uma inscrição no Templo de Apolo em Delfos, e pode ter sido um ensinamento transmitido pelos antigos egípcios. Neste livro, falo sobre gratidão, mas o *Bhagavad Gita* já falava do mesmo tema há seis mil anos. Meditação e ioga estão por aí há séculos. Não finjo ser "proprietária" dos conceitos aqui presentes. Estou simplesmente fazendo o melhor que posso para vivenciá-los.

Por exemplo, a ideia de que todas as pessoas possuem tanto uma energia feminina quanto uma masculina dentro de si e de que o equilíbrio interno é resultado da harmonia entre essas duas forças vem do taoísmo, que remete ao século VI a.C. No taoísmo, o lado masculino é chamado de *yang* e o lado feminino é chamado de *yin*. O conceito de que tanto o *yin* quanto o *yang* existem dentro de nós provavelmente parece lógico para algumas pessoas, mas não evidente para outras. Se nos identificamos como homem ou mulher, faria sentido tudo o que um homem faz ser masculino e tudo o que uma mulher faz ser feminino?

Para mim, não. Seja você homem ou mulher, cada um de nós tem qualidades diretivas, ativas, *yang*, e receptivas, passivas, *yin*.

Quando estamos igualmente confortáveis com a força e a sensibilidade, com agir e esperar, com ouvir e falar, esses dois extremos que nos habitam geram equilíbrio. Isso não quer dizer que seja fácil atingir o equilíbrio. Desde muito cedo, recebemos mensagens de pais, irmãos, colegas de turma, amigos e da cultura dominante sobre como meninos e meninas devem se comportar. Meninos devem ser fortes, inabaláveis, competitivos e ambiciosos. Meninas devem ser mais receptivas, educadas, motivadoras e empáticas. Mas quantos meninos e meninas, homens e mulheres se encaixam apenas em uma categoria?

Acho que todos concordam que homens e mulheres não são exatamente iguais. A energia masculina realmente tende a ser mais assertiva e diretiva, enquanto a energia feminina tende a ser mais receptiva e intuitiva. A energia masculina precisa conquistar e vencer, e a energia feminina precisa cuidar e proteger. *Ambas* as energias são extraordinárias, desde que trabalhemos com elas conscientemente, de maneira equilibrada, para o bem de *todos*.

Na minha experiência, a concretização da energia masculina é o *poder* e da feminina é o *amor*. Equilibrando as duas e combinando poder *e* amor nós podemos começar a criar uma mudança genuína e positiva no mundo e em nós mesmos. Para isso, os homens não precisam ser parecidos com as mulheres, nem as mulheres precisam ser parecidas com os homens. Em vez disso, ambos os gêneros precisam apenas se tornar mais conscientes das energias masculina e feminina que já existem dentro de si. Em vez de negar sua energia feminina, os homens deveriam abraçá-la. Em vez de suprimir sua energia masculina, as mulheres deveriam celebrá-la. E se você não se identifica com o sexo masculino nem com o feminino, ou se ama uma pessoa do mesmo sexo? Isso significa que está perdendo alguma coisa? Nada disso. Amor é amor. Se você consegue abraçar tanto sua energia masculina quanto a feminina, e encontra um parceiro ou uma parceira com o mesmo equilíbrio, é possível encontrar a plenitude e então compartilhar e aprender juntos.

Meu pai fazendo serenata para nós com seu violão — como sempre fazia durante nossa infância — no sul, em 1993.

Quando eu era criança, lembro-me de ter consciência da complexa dança do equilíbrio entre masculino e feminino que ocorria entre meus pais. Aparentemente, meu pai era muito mais emotivo que minha mãe. Aos domingos, quando ele pegava o violão e fazia serenatas para nós cantando antigas canções gauchescas, seus olhos se enchiam de lágrimas.

Meu pai inspirou minha criatividade, minha sensibilidade, meu idealismo e meu eterno senso de propósito — a noção de que tudo é possível. Ele me encorajou a sonhar alto, a rejeitar rótulos e a ser destemida. Até hoje faz isso. Ele sempre teve alma de criança, meio brincalhão, e também sou assim. Quanto à importância do trabalho árduo, do foco, da disciplina e da perseverança — tudo isso herdei da minha mãe. Com ela aprendi a não desperdiçar, a nunca jogar fora nada que pudesse ser reaproveitado, a terminar o que havia no prato e a ser grata por tudo. Ela me ensinou o valor das coisas, a nunca fazer pouco caso de nada e a ser independente. Minha mãe ensinou a todas nós a atitude do "vai lá e faz". Provavelmente é por isso que hoje tenho minha própria furadeira elétrica e minha caixa de ferramentas — se alguma coisa precisa ser consertada ou pendurada, sou eu quem fará o serviço. (Ou pelo menos vou tentar fazer antes de pensar em chamar um profissional.)

Como mencionei no início deste capítulo, quando era jovem, passei algum tempo estudando o taoísmo, filosofia chinesa que nos ensina sobre o *yin* e o *yang*. Era ao mesmo tempo confuso e inspirador. Qual era a relação entre o sol e a lua, o positivo e o negativo, a escuridão e a luz? Eram forças opostas ou variações da mesma força? Ao longo do tempo, passei a acreditar que nossas energias masculina e feminina não estão separadas, elas são duas metades de um inteiro perfeito.

Pode ser fácil duvidar disso quando pensamos em como nossa cultura trata os meninos e as meninas que não se enquadram nos padrões convencionais. Mesmo que os pais não digam diretamente aos seus filhos e filhas que ajam de uma determinada maneira, as crianças captam sinais não verbais. O que é mais destrutivo do que dizer a uma criança que ela não deveria demonstrar como se sente? Isso significa que, se você é menino, não pode chorar? Significa que, se é menina, não pode ser competitiva ou ambiciosa? Consequentemente, muitos meninos crescem acreditando que é errado expressar suas emoções, e muitas meninas sentem que devem reprimir suas ambições.

Mas por que estamos aqui se não para vivenciar o que é ser humano em sua totalidade — tanto nossa energia masculina quanto a feminina? Você acha que é de se admirar o fato de a ioga atrair tantas mulheres que, tendo em mente o que ouviam, quando pequenas, que deviam cobrir o corpo e calar a voz, agora estendem os braços na postura do guerreiro? Ao longo da vida, homens e mulheres dão e recebem, lideram e seguem, dão ordens e as cumprem. Se não somos capazes de descobrir como unir essas duas energias, ficamos incompletos e desequilibrados, o que pode levar a todo tipo de comportamento negativo.

Hoje, acredito que ainda estamos vivendo num mundo em que a energia masculina está em desequilíbrio. Um mundo onde alguns homens continuam a abusar do seu poder. Homens motivados pela vaidade, pelo ego e pela ganância. Homens dispostos a sacrificar o amor, a consideração pelos outros e os cuidados com o planeta em benefício de seus próprios ganhos. Poder sem amor é uma péssima combinação — e é insustentável. Vemos isso nas manchetes dos jornais todos os dias. Desigualdade extrema, crueldade contra os menos afortunados, ilhas de lixo plástico boiando no oceano. Essa predominância da energia masculina nos desconectou do lado feminino, e da Mãe Terra.

Nossa sobrevivência depende dos recursos naturais da Terra, então não seria mais inteligente se nós os utilizássemos com sabedoria, para que possamos continuar a usá-los e a aproveitá-los por muitas gerações? Esgotar os recursos naturais sem a consciência de que são finitos nos leva em direção à extinção. Precisamos fazer escolhas sustentáveis, de modo que nosso planeta tenha tempo para se recompor. Como não estamos dando a devida atenção, o planeta está nos enviando mensagens cada vez mais contundentes: tsunamis, enchentes, terremotos, secas, vulcões em erupção. Esquecemos que, quando a Terra adoece, nós também ficamos doentes.

Ao longo dos anos, muitos livros têm enfatizado que os elementos "masculinos" são o fogo e o ar, enquanto que a terra e a água são "femininas". Sendo o maior arquétipo do feminino, a terra oferece amor, cuidado, sacrifício e compaixão. Ela se doa sem parar, não esperando quase nada em retribuição. Em troca, alguns homens usam seu poder para se aproveitar dela, como fazem com frequência com as mulheres. Tudo em nome da dominação. Em nome do poder e do ego ou talvez porque muitos anos de história e comportamentos repetidos os levaram a pensar que isso é *direito* deles.

Finalmente, a verdade sobre o modo como muitos homens usaram mal seu poder para abusar das mulheres e explorá-las está vindo à tona. Violência. Pornografia. Pessoas que destilam seu ódio nas redes sociais e nos comentários de blogs e sites. Nossa cultura está sendo posta cara a cara com suas próprias sombras. Mas o que é a sombra, no fim das contas? A ausência de luz. Na minha opinião, a luz contém atitudes e ações positivas e, à medida que nos tornamos mais conscientes das mudanças que precisamos fazer, essa luz fica mais forte. Pode ser fácil querer evitar o que é feio e negativo, mas o fato de que muitas mulheres corajosas têm vindo a público falar sobre como foram exploradas me dá esperança.

Como já mencionei, acredito que uma mudança genuína e positiva no mundo só poderá acontecer quando unirmos o poder *com* o amor. Precisamos de *ambos*. Poder é energia. O poder cria. Poder é a faísca, o impulso. O amor, por sua vez, é um recipiente. Ele cuida. Ajuda a semente a crescer e prosperar.

O equilíbrio do masculino com o feminino, ou do poder com o amor, é uma combinação que venho tentando adotar há anos. Às vezes estou mais em sintonia com minha energia masculina. Em outras, estou mais conectada com a feminina. Como sei que estou em desequilíbrio? Quando fico diretiva demais, eu me pego forçando a barra para alcançar meus objetivos. Para me reconectar com meu lado feminino, primeiro respiro fundo algumas vezes e depois me faço algumas perguntas. *Como estou alcançando meus objetivos? Como o que estou fazendo está afetando meus filhos, meu marido, o restante da minha família e todos a minha volta? Como minhas atitudes vão afetar o planeta, não apenas hoje, mas no futuro?* Sempre me esforço para equilibrar as energias masculina e feminina dentro de mim. Sem a energia masculina, não sou capaz de alcançar meus objetivos. Sem a feminina, me falta empatia, compaixão, consideração e perspectiva. Acredito que somente quando encontramos o equilíbrio entre as duas podemos viver uma vida plena e amorosa.

Quando pequena eu era meio moleque. Ainda me vejo assim. Era atlética e naturalmente mais agressiva. Gostava de pular na rede de vôlei e dar umas cortadas. A maioria dos meus amigos na escola eram meninos, mas não os populares — esses não tinham o menor interesse em mim. Eu devia ter uns 12 ou 13 anos quando decidi que preferia ser durona a ser frágil. Pode ter sido um meio que eu achei de me distinguir da minha irmã gêmea, que era mais delicada, mais "menininha". Se um menino me dissesse que eu não conseguia correr ou escalar tão bem quanto ele, minha resposta era: *Na verdade, consigo, sim, quer ver só?* Minha irmã mais nova Gabi tinha uma personalidade forte e não tinha papas na língua. Ela sempre falava o que vinha na cabeça para os meninos da turma dela, mas, se eles a tivessem incomodando demais, eu chegava em sua defesa avisando: *Escuta aqui! Se você falar desse jeito com a minha irmã de novo, você já era. Tá me ouvindo? Já era!* Eu não fazia ideia de por que eles se sentiam intimidados por mim. Talvez fosse minha energia masculina, ou, quem sabe, porque eu era super alta? Na infância, minhas irmãs e eu éramos todas muito conectadas à nossa energia masculina.

Essa mesma qualidade permaneceu comigo quando comecei a trabalhar como modelo.

O mundo da moda era o cenário perfeito para eu vivenciar minhas energias masculina e feminina juntas. A carreira de modelo é a única que conheço em que mulheres ganham mais que homens. No trabalho, passei da moleca que se sentia mais confortável de jeans, camiseta e roupas largas a alguém que se adaptava a qualquer visual que o trabalho exigisse. Eu era direta, prática, cumpridora de tarefas. Isso foi ficando ainda mais forte com o passar do tempo. Mas, obviamente, a indústria da moda é centrada numa forma feminina idealizada. Se meu trabalho era ser sexy ou sedutora, eu encarnava minha própria energia feminina. Ser modelo tem um lado feminino no sentido de que você precisa estar intuitivamente consciente da sua linguagem corporal. A modelo precisa ser expressiva com os olhos, as mãos e a boca, ou com o ângulo dos quadris — é como ser uma atriz num filme mudo.

Foi só quando me tornei mãe que me conectei de verdade e profundamente com minha energia feminina. Eu me sentia como uma leoa, como se minha casa tivesse se tornado meu covil, e eu era capaz de fazer qualquer coisa para defender e proteger minhas crias. Dar à luz é algo tão corriqueiro, mas, quando acontece com você, é uma experiência mágica e profunda. Se não fossem as mulheres, não haveria futuro, já que somos as únicas que podem trazer outro ser à vida.

Quando conheci meu marido, Tom, em dezembro de 2006, num encontro às cegas, percebi logo que ele era um guerreiro em sua carreira, o futebol americano profissional. O que me surpreendeu, e aquilo pelo que me apaixonei com o tempo, foi sua bondade, gentileza e doçura. Tom era e é um homem de caráter. Era tão apegado aos pais e às irmãs quanto eu à minha família, e de cara deu para ver que ele era muito amoroso e tinha valores sólidos. Não precisei de muito tempo para perceber que ele daria um ótimo pai. Quando começamos a namorar, nossas carreiras estavam a mil por hora. Como eu, o Tom era 100% dedicado ao trabalho dele — não que eu entendesse direito o que era futebol americano naquela época, ou o que ser um quarterback da NFL representava. Só sabia que ele amava o que fazia e que estava comprometido com seu time, o New England Patriots, e queria manter seu ótimo desempenho. Seu objetivo, ele me disse, era jogar por mais dez anos e depois se aposentar para se dedicar a formar uma família. Eu tinha só 26 anos, e, para mim, aquilo pareceu um ótimo plano, já que eu também sentia que ainda tinha muito a conquistar na carreira. Mas a vida se desenrola de maneiras inesperadas — a única constante é a mudança. Dois meses depois de começarmos a namorar, o Tom me contou que sua ex-namorada estava grávida. No dia seguinte, a notícia estava em todo lugar, e senti que meu mundo tinha virado de cabeça para baixo. Nem preciso dizer que não foi uma época fácil. Mas foi um período que nos trouxe muito crescimento. Mais tarde, naquele mesmo ano, o pequeno Jack nasceu, fazendo meu coração se expandir de maneiras que eu não sabia serem possíveis.

Jack, meu filho bônus, tem sido um grande presente e uma grande bênção na minha vida. Na verdade, Jack foi o responsável por acelerar meu amadurecimento e o de Tom em muitos sentidos. Nós concordamos que Jack deveria ter irmãos com idade próxima à dele e não dez anos mais novos. Com Jack em nossas vidas, as prioridades definitivamente começaram a mudar. Eu queria estar à disposição do Jack e do Tom e fazer o que fosse necessário para dar estabilidade às suas vidas, e ajudá-los a ter um relacionamento próximo. Tom precisou muito do meu apoio naquela época, e sempre que estou em posição de ser de alguma ajuda para alguém, principalmente para alguém que amo, me desdobro em mil. A verdade é que ajudar e dar apoio aos outros sempre me faz sentir bem. Também sei que, para ganhar alguma coisa, com frequência temos de abrir mão de outra. Resolvemos começar nossa família mais cedo que o planejado. Dois anos depois, estávamos casados e logo engravidei, e ficamos ocupados cuidando da nossa família entre a Nova Inglaterra e Los Angeles.

Antes de Tom e eu nos casarmos, conversamos muito sobre como queríamos que o relacionamento progredisse, e deixei claro que queria uma relação interdependente, e não codependente. Vejo a vida conjugal como duas pessoas caminhando lado a lado, crescendo individualmente e juntas, nunca abrindo mão da essência de quem são nem de seus sonhos para agradar ou satisfazer o parceiro ou a parceira. Eu queria alguém que me aceitasse como eu era, por inteiro, alguém que me inspirasse e me desafiasse a ser a melhor versão de mim mesma. E queria ser essa mesma pessoa para o meu marido. Eu via nosso relacionamento como um porto seguro para o qual ambos poderíamos retornar e nos abrigar quando precisássemos, ao mesmo tempo garantindo que ambos tivéssemos a liberdade para realizar nossos próprios sonhos.

Mais que isso, eu queria um casamento com igualdade, baseado em amor, respeito e confiança. Ainda acredito que um casamento com igualdade — em que duas pessoas são igual e simultaneamente motivadas em suas carreiras — é possível, mas não tão fácil quando os filhos são pequenos. As crianças devem vir em primeiro lugar. Sempre sonhei em constituir uma família e, quando esse sonho se realizou, meus filhos naturalmente se tornaram minha prioridade.

Acredito que as mulheres conseguem fazer qualquer coisa — só que não tudo ao mesmo tempo. Devemos priorizar. Como os Patriots jogam em Boston e os horários do Tom são rígidos, vi as coisas da seguinte forma: meu trabalho como modelo era muito mais flexível que o trabalho dele. Nova York pode ser a capital da indústria da moda, mas meu trabalho de modelo não é um emprego de nove às cinco, e eu não precisava morar em Manhattan para continuar fazendo o que fazia. Também sentia que já tinha conquistado muita coisa — pelo menos no mundo da moda. Não sentia a necessidade de continuar provando do que era capaz. Não havia sido fácil, para mim, chegar ao topo da montanha, mas depois de anos de trabalho árduo, eu tinha conseguido. Então, me perguntei: *Preciso estampar mais uma capa de revista? Preciso de mais uma campanha? Preciso fazer mais uma aparição em evento?* Não mesmo! Minha prioridade passou a ser a minha família, e passar a maior parte do tempo com eles. Eu queria construir a melhor relação possível com Tom, Jack e nossos filhos. Adoro ficar em casa e também sou o tipo pacificador que gosta de deixar tudo melhor, mais fácil e mais harmonioso para as pessoas que amo. Muitas mulheres provavelmente sabem do que estou falando!

Os pais, as irmãs e demais parentes do Tom, incluindo sobrinhas e sobrinhos, no dia anterior ao épico Super Bowl de 2017, quando os Patriots venceram os Atlanta Falcons. Estou em pé ao lado da mãe do Tom, Galynn.

Também nunca olhei para trás. Nosso filho, Benny, nasceu em dezembro de 2009, e dois meses depois, quando a temporada de futebol americano terminou, o Tom, o Benny e eu nos mudamos para Los Angeles, onde o Jack morava, para que todos pudéssemos estar mais próximos dele. Mas, no começo do verão, nossa família voltou para Boston a tempo do início dos treinos.

Um casamento novo, um bebê novo, uma vida nova na Nova Inglaterra — foi uma grande transição para mim. Não conhecia ninguém em Boston, e morar lá tornava mais difícil realizar meu trabalho, mas estava apaixonada pelo Tom e queria fazer nosso casamento dar certo. Então, aquilo que tinha me esforçado tanto para conquistar, o que eu havia feito desde os 14 anos de idade, precisou ficar em segundo plano. Não foi uma transição totalmente isenta de dificuldades. Minha carreira tinha sido centrada nas necessidades de uma única pessoa: as minhas. Eu podia ir e vir, trabalhar e viajar para cá e para lá, e fazer o que *eu* queria fazer. Aquele capítulo da minha vida foi substituído pelas necessidades de uma família em crescimento. Com a chegada do Benny e da Vivi, logo descobri que ser mãe dava muito mais trabalho que ser modelo. Qualquer mãe com filhos pequenos sabe que é uma tarefa intensa. A agenda do Tom durante a temporada de futebol americano exige tanto dele que fico com quase todas as responsabilidades da família.

Encaro esse estágio da minha vida como sendo um vale. Não porque seja negativo, de forma alguma, mas porque, depois que se chega ao topo da montanha, não há outro lugar para se ir a não ser para baixo. No topo de uma montanha, é sempre ensolarado, claro e se tem uma vista ampla. Por outro lado, a vida num vale é mais calma e restrita. O vale me dá a oportunidade de compreender um lado diferente de mim mesma, e de me dedicar a ser a melhor esposa e a melhor mãe que posso ser, tudo enquanto vivencio o amor dos meus filhos.

Mas dei sorte. Ao contrário de muitas mães em tempo integral, tive a oportunidade de começar a trabalhar muito cedo, e meus vários anos de trabalho árduo haviam me proporcionado uma independência financeira. Ainda tenho a oportunidade de viajar para cumprir alguns contratos de trabalho, e dedico parte do meu tempo livre às causas que são importantes para mim. Esses trabalhos e essas viagens são como visitas rápidas ao topo da montanha — seja quando estou desfilando na passarela das Olimpíadas do Rio ou fazendo um discurso sobre o meio ambiente na ONU. Mas recuso a maior parte dos trabalhos como modelo. Ou o Tom tem um jogo importante, ou o Benny tem uma apresentação de teatro na escola, ou talvez o Jack vá nos visitar no fim de semana, ou a Vivi está com uma tosse que não passa. Seja lá qual for o motivo, a agenda nem sempre permite, e minha família vem em primeiro lugar.

Quando as crianças eram bem pequenas, houve momentos em que me senti sobrecarregada e confusa, às vezes até um pouco deprimida, embora me esforçasse ao máximo para ser forte. Eu sentia o peso da nova responsabilidade que a maternidade havia me trazido. Queria fazer o meu melhor, e fazer tudo direito. A questão é, eu era mãe de primeira viagem, aprendendo as coisas na marra, e, além disso, às vezes me sentia dividida por saber que havia muito mais que eu queria criar no mundo. O Tom participava de tudo ao meu lado o máximo que podia, mas, durante a temporada, ele sai às seis da manhã e eu geralmente só o vejo de novo na hora do jantar. Graças a Deus minha mãe ficou comigo durante um mês depois que o Benny nasceu. Sem minha mãe, Fafi e Mayra, minha amiga e doula, que, depois de muita persuasão, se tornou nossa babá por um período, não acredito que eu teria me saído tão bem.

Ao mesmo tempo, a vida inteira eu estive conectada com minha energia masculina. *Realize, realize, realize! Vá em frente, vá em frente, vá em frente!* Quando estava grávida do Benny, resolvi aprender a pilotar helicóptero. (Falando em abraçar minha energia masculina...) Descobri um piloto chamado Stu, e, nos três meses seguintes, fiz um curso intensivo de navegação, padrões de clima, nuvens stratus, nuvens cumulus e os efeitos da condensação durante o voo. Aprendi a pilotar à noite e em más condições de tempo, como pousar o helicóptero numa área limitada e a me comunicar com os controladores de tráfego aéreo na torre de comando. Cumpri as sessenta horas necessárias para receber o certificado de piloto privado de helicóptero, embora tenha parado pouco antes de obter minha licença, já que o Tom e eu achamos que seria perigoso demais fazer o teste final, que envolvia executar um pouso de emergência com o motor inoperante. Ainda assim, foi divertido passar por todo o processo. Eu estava pilotando um helicóptero R44 — o "pássaro", como Stu e eu o chamávamos — alguns dias antes do Benny nascer!

Benny e eu nos sentindo orgulhosos e fortes depois de completar o curso de sessenta horas para pilotar helicóptero, em 2009. Benny nasceu cerca de um mês depois.

O vale também me lembra da importância do elemento feminino na vida de qualquer família. Se você é um homem ou uma mulher que trabalha fora, leva duas vidas diferentes. A primeira, sua vida do lado de fora, acontece no mundo. É centrada na motivação, na realização profissional e em ganhar a vida para sustentar a família. A segunda vida é a que existe do lado de *dentro*. Essa é focada em cuidar da casa e dos filhos; manter uma agenda; ficar de olho num milhão de detalhes como tarefas escolares, consultas médicas, obrigações sociais e garantir que todos estejam indo bem e que tudo esteja correndo com tranquilidade. Muitos homens se concentram na vida do lado de fora, assim como muitas mulheres. Mas, para que alguém tenha sucesso e prosperidade na vida *de fora*, precisa ter uma vida *de dentro* segura e estável.

É por isso que cada vez que ouço alguém dizendo "ela é só mãe", fico irritada. Ser "só mãe" é o alicerce de *tudo*. Ser "só mãe" garante que nossos filhos tenham a base e o apoio de que precisam para ter sucesso não só no trabalho, mas na vida. Milhões de "só mães" estão ocupadas criando os homens e as mulheres do futuro que algum dia vão influenciar o mundo de maneira positiva ou negativa. Nossa cultura gosta de tratar a rotina multitarefa das mulheres como uma obrigação. E não é! Existem muitas mães por aí que tornam tudo possível e fazem tudo acontecer, e, na minha opinião, são incríveis.

Enfim, conforme o tempo ia passando, eu ficava cada vez mais ciente de que me faltava equilíbrio. Com dois filhos pequenos, uma casa para cuidar e um marido trabalhando o dia inteiro e às vezes viajando para jogar, me dei conta de que não estava numa posição muito saudável. Foi quando comecei a fazer pequenas mudanças. Em vez de ficar sozinha em casa cuidando dos filhos quando recém-nascidos, convidava uma amiga para tomar chá. Depois, uma amiga para caminhar. Quando voltei a trabalhar, passei a levar o Benny e a Vivi comigo, para que pudesse amamentá-los. Foi um período intenso. Não dormia quase nada à noite e trabalhava o dia inteiro. Parecia um zumbi. Certa vez, lembro-me de estar amamentando o Benny numa longa viagem de avião dos Estados Unidos para o Brasil e me sentindo a pior mãe do mundo, mesmo sabendo que me sentiria pior ainda se o tivesse deixado em casa. Ainda assim, voltar a trabalhar depois de ter filhos parecia férias! Aos poucos, comecei a recuperar o equilíbrio das minhas energias masculina e feminina. E também pude ver como esse mesmo equilíbrio estava se formando em *meus próprios* filhos.

Jack e Benny já estão conectados aos seus lados mais "sensíveis" e intuitivos. E, aos 5 anos, a Vivi já é muito forte e seu estilo é "do meu jeito ou nada feito!". Ela é determinada e motivada a alcançar seus objetivos. Ao mesmo tempo, é extremamente carinhosa e inteligente. Ela tem o pai na palma da mão, e sabe disso. Está sempre tão feliz, é tão iluminada e alegre que todos dizemos que a Vivi está saltitando pela vida. Benny, que tem 8 anos, adora música e arte, ama cantar e brincar de Lego. Ele ama os animais e o planeta, tanto que, certa noite, logo depois que voltei para casa de uma viagem à Amazônia, começamos a conversar sobre o que cada um de nós poderia fazer para proteger a vida na Terra. Ele me perguntou o que ele poderia fazer. Sugeri que, em vez de receber presentes de aniversário, pedisse aos amigos que usassem o dinheiro para fazer doações a fim de proteger seus animais preferidos. Então, nos últimos dois aniversários, seus amigos fizeram doações para ajudar a salvar os elefantes e as baleias. Ele sente muita empatia e também gosta de passar um tempo sozinho sonhando acordado, do mesmo jeito que eu fazia quando tinha a idade dele. Dos três, Jack, o mais velho, é o mais responsável e também mantém um equilíbrio saudável entre as energias masculina e feminina. É extremamente dedicado, adora jogar futebol e certa vez disse ao pai que um dia vai querer estudar em Michigan, a universidade que Tom frequentou. (É claro que Tom abriu um sorriso de orelha a orelha.) Como o pai, ele também é bondoso, sensível e generoso. Eu me sinto muito abençoada por tê-los na minha vida. Eu os amo tanto!

Meu papel, do meu ponto de vista, é ser a guardiã deles e permitir que cada um descubra suas forças e seus talentos inatos. Também tento dar o exemplo com minhas próprias ações, de modo que eles possam ver que sou, ao mesmo tempo, forte *e* acolhedora.

Agora que as crianças estão mais velhas e na escola, sei que logo estarei pronta para começar a escalar outra montanha. (Aprendi que gosto disso!) Nunca morei no vale por tanto tempo, mas não trocaria o tempo passado lá por nada neste mundo. Meus filhos me deram um senso de propósito mais amplo e uma motivação maior. Antes de eles nascerem, eu já era apaixonada pelas causas ecológicas e ambientais. Mas agora levo cem vezes mais dedicação, energia e urgência para o mesmo trabalho. Ter filhos tornou ainda mais importante, para mim, fazer o que posso para ajudar a tornar o mundo um lugar melhor.

Há pouco tempo, o Tom e eu nos lembramos da conversa que tivemos logo que casamos, quando ele me disse que jogaria por mais dez anos e depois se aposentaria. Mas reconheço que tem sido melhor para nós pensar naquela conversa como um mapa e não como um destino. Hoje, Tom está jogando melhor que nunca, e ainda ama a profissão. Nunca conheci alguém, na minha vida inteira, que amasse mais uma coisa do que meu marido ama jogar futebol americano! Fico impressionada com o comprometimento, o foco e a dedicação incansável que ele investe em ser o melhor no que faz. Ao mesmo tempo, nós dois sabemos que a duração da carreira de um atleta é limitada. Eu me preocupo com sua saúde física. Como qualquer esposa, tenho medo por ele, e pela nossa família também, porque o futebol americano é um esporte de muito contato físico. Mas não vou dizer para ele parar de fazer o que ama. Sua dedicação, disciplina e seu comprometimento para ser o melhor no que faz são algumas das razões pelas quais eu o amo. Tom vai se aposentar quando achar que é a hora. A decisão tem que partir dele. No fim das contas, se o Tom está feliz, *todos* nós ficamos felizes.

Uma das particularidades sobre ser mulher, esposa e mãe é que estou sempre buscando o que é melhor não só para mim, ou para o Tom, mas para todos na família. Qual é o melhor jeito de apoiar e suprir as necessidades de *todos* enquanto seguimos em frente? Nesse sentido, as mulheres têm muito em comum com o planeta Terra.

O que importa mais para mim neste exato momento — minha prioridade número um, na verdade — é que o Benny, a Vivi e o Jack cresçam juntos num ambiente estável. Que eles possam crescer e se sentir parte de uma comunidade e fazer amizades boas e duradouras. Quero que se sintam seguros e amados e que saibam que podem sempre contar uns com os outros, que têm uma base forte e sólida na nossa família e na nossa comunidade, e que Tom e eu sempre estaremos ao lado deles, para o que der e vier, não importa o que aconteça.

Qualquer que seja o lugar em que nós acabemos morando no futuro, um *lar* não é uma estrutura ou um lugar literal, com pintura, tijolos, janelas ou tapetes. Lar para mim tem a ver com lembranças, emoções e momentos maravilhosos. Os apartamentos e as casas onde já morei são lugares de amor, de boas lembranças, de todos nós passando o tempo juntos e rindo à mesa de jantar. Na minha opinião, *lar* é um lugar dentro de mim. É onde quer que minha família esteja.

Às vezes, digo às pessoas que meu marido e eu nos amamos tanto que nos casamos duas vezes. Tom e eu viemos de famílias ligadas à igreja católica apostólica romana — principalmente do lado da minha mãe (que teve até uma irmã que virou freira). Nossos pais estão casados há décadas. Significava muito para eles que o Tom e eu tivéssemos uma cerimônia de casamento tradicional, numa igreja, e é claro que queríamos satisfazer o desejo deles.

Nas semanas que antecederam a cerimônia na igreja, Tom e eu passamos muito tempo conversando sobre o que queríamos do nosso relacionamento. Como já mencionei, expliquei a ele que a última coisa que eu queria do nosso casamento era codependência. Quando você sente que precisa salvar a outra pessoa. Quando passa o tempo todo se preocupando com as necessidades dela a ponto de incorporá-las à sua vida ou até de se apropriar delas como suas. Quando você sente o ímpeto de resgatar ou de curar o outro. O que pode ser mais perigoso do que estar num relacionamento em que o par não pode respirar sem você, ou quando o outro precisa que você o complete, ou quando alguém se torna responsável por preencher as partes que faltam em você, e você se perde e perde a própria identidade? Não, nosso casamento não só tinha que ser baseado em amor, respeito e honestidade; precisava ser *interdependente* — quando duas pessoas fortes se amam, mas nunca a ponto de sacrificar sua felicidade e seus valores.

Eu não era Tom; Tom não era eu. Nós nos amávamos, mas não éramos a mesma pessoa. Pelo resto de nossas vidas, estaríamos ambos em constante mudança. Sei de muitos casamentos que terminam porque um acusa o outro de fazer exatamente isso: *mudar*. Mas o que havemos de fazer se não continuar mudando ao longo da vida? As árvores perdem as folhas no outono, dormem no inverno, brotam na primavera e renascem no verão. O sol nasce, seguido pela chuva, pela neve, pelas nuvens ou por mais sol. E o mesmo acontece com as pessoas! Como descobri enquanto estava vivendo no vale, há um ritmo natural para tudo, um tempo para se retrair e um tempo para se expandir, um ritmo que pode se repetir muitas vezes ao longo de uma vida.

Voltando a história, nossa primeira cerimônia aconteceu em 26 de fevereiro de 2009, quando fizemos nossos votos na Igreja Católica de Santa Mônica, na Califórnia. Além do Tom, de mim e do padre Lloyd, que nos casou, os únicos presentes eram nossos pais e o Jack, que tinha 2 anos na época e levou as alianças até o altar. Alguns dos nossos melhores amigos também compareceram; um deles ficou encarregado de fotografar o evento (mas se emocionou tanto durante a cerimônia que quase todas as fotos ficaram fora de foco). Depois da celebração, todos voltamos para casa e comemos salada, bifes preparados na grelha pelo Tom e bolo. Essa foi a recepção do nosso primeiro casamento.

Não me lembro de ter tido nenhuma fantasia de contos de fadas, quando pequena, sobre meu casamento. Por exemplo, nunca me imaginei num vestido de noiva branco e longo, rodeada de madrinhas. Não, eu imaginava um casamento nada convencional. Se me casasse, seria em meio à natureza, que é a minha igreja *de verdade*, e a cerimônia seria divertida, linda e informal. Eu estaria descalça. Diria meus votos bem no instante em que o sol estivesse se pondo. A primeira vez que visitei a Costa Rica, me apaixonei por sua natureza virgem e pensei: *Espero poder morar aqui um dia*. E achei que seria o lugar perfeito para um casamento.

(A Costa Rica me lembrou tanto o Brasil — o clima, a umidade, o mesmo tipo de gente simples, gentil e calorosa. Há macacos e pássaros nas árvores, golfinhos e pelicanos no mar, e milhões de borboletas. O clima é úmido, como se estivesse inspirando e expirando, a natureza viva. Aos vinte e poucos anos, quando comecei a ganhar mais dinheiro, comprei um pedaço de terra numa área remota do país e comecei a construir uma casa lá.)

Minha primeira viagem à Costa Rica, em 1998, quando fiquei perdidamente apaixonada pelo país. Eu tinha 18 anos.

Exatamente como eu havia imaginado um dia, nosso casamento na Costa Rica foi, como eu esperava, divertido, lindo e informal — mais espiritual que religioso.

Já conheci muitas noivas que ficam estressadas nas semanas que antecedem o casamento, preocupadas com o fotógrafo, com a comida, com o barman ou com as cores dos vestidos das madrinhas. Eu não queria pensar nessas coisas. O que *realmente* pensei, nas semanas antes da cerimônia, foi nas coisas que havia admirado em outros casamentos. Na mesma linha do equilíbrio das energias masculina e feminina dentro de todos nós, o casamento ideal é uma dança na qual os parceiros se revezam em doar e receber, liderar e seguir, orientar e aprender, pelo resto da vida. Acredito que uma mulher que tenha essas duas energias em equilíbrio vai atrair um parceiro com o mesmo equilíbrio. Lembre-se, o ideal é que cada um de nós tenha poder *e* amor na mesma medida. Força *e* compaixão.

Nosso casamento na Costa Rica, em 2009.

Sempre amei poesia, e, um mês antes do nosso casamento na Costa Rica, encontrei um poema que pareceu ter sido composto sob medida para mim. É da obra *O Profeta*, de Khalil Gibran, e foi escrito há quase cem anos.

Vocês nasceram juntos, e para todo o sempre assim devem ficar
Juntos quando a asa branca da morte seus dias dissipar
Sim, até na memória silenciosa de Deus irão se conservar
Porém, que em sua proximidade haja espaços vazios
E que os ventos dos céus passem entre seus corpos a dançar
Um ao outro se amem, mas não façam do amor uma prisão
Que ele seja um mar em movimento entre as praias de suas almas
Encham de cada um a taça, mas não bebam de apenas uma
Deem um ao outro o pão, mas não comam do mesmo pedaço
Cantem, dancem juntos e se alegrem, mas permitam ao outro ficar só
Ainda que separadas, as cordas do alaúde vibram a mesma canção
Deem seus corações, mas não para o outro guardar
Pois apenas a mão da Vida pode seus corações conter
E permaneçam juntos, mas não próximos demais
Pois afastados os pilares de um templo permanecem
E na sombra do outro, o carvalho e o cipreste não crescem

Esse poema me lembrou que duas pessoas que se amam *podem* alcançar tanto a interdependência quanto o equilíbrio. Com esse equilíbrio, cada um se torna um pilar forte o suficiente para sustentar o amor enquanto permanecem lado a lado. Um não precisa se apoiar no outro, colidir com ele, ou se fundir com o outro. Um pilar forte se mantém erguido por si só. É perfeito sendo simplesmente ele mesmo, e de seu lugar escolhe compartilhar e permanecer junto ao outro.

Nossa segunda cerimônia de casamento aconteceu ao pôr do sol de um dia quente no começo de abril. Antes da cerimônia, minha irmã Fafi me ajudou a arrumar o cabelo. Usei rímel à prova d'água, pois sabia que ia chorar — porque sempre choro! —, e não teria sido uma visão muito bonita ficar com olhos de panda no meu próprio casamento. Cerca de quarenta pessoas se reuniram na nossa sala de estar integrada à área externa da casa: minha família inteira e a do Tom — incluindo sobrinhas — e três melhores amigos de cada. Numa mesa próxima coberta de velas e cristais, os mais variados, havia dois recipientes, um contendo mel e outro, arroz. O mel, dizem, para adoçar nosso futuro, e o arroz para atrair prosperidade. Jack tinha 2 anos, e, de novo, foi nosso pajem! Usei um vestido de alcinha branco simples. Estava descalça. A cerimônia foi curta, e as últimas palavras que todos ouviram foram:

Pois afastados os pilares de um templo permanecem
E na sombra do outro, o carvalho e o cipreste não crescem

Não houve uma recepção formal depois. Foi mais uma festa sem protocolo, alegre e descontraída, como sempre havia imaginado que seria. Os convidados comeram comida mexicana e beberam margaritas. Ficaram sentados ou circulando pela cozinha, pelo jardim ou à beira da piscina. Minha irmã Pati e a irmã do Tom, Julie, leram um lindo poema cada uma, e todos comeram bolo de chocolate. Tom tinha criado as playlists — a dele tinha músicas de Ray LaMontagne, Amos Lee, James Taylor e outros — e, num dado momento, meu amigo Nino, que conheço desde meus primeiros dias em Nova York e é como um irmão para mim, plugou seu iPod na caixa de som. As crianças foram nadar na piscina, enquanto os convidados dançavam. Lembro que bebi duas margaritas, e depois de duas margaritas você não se lembra de muita coisa nem se importa muito mais com nada.

Mas me lembro de procurar Tom e de encontrá-lo, e embora não consiga lembrar quem puxou o outro e quem seguiu — isso importa? —, começamos a dançar. Ainda estamos dançando e crescendo com os altos e baixos da vida.

Então aqui vai uma reflexão: imagine o que aconteceria se cada um de nós conhecesse a si mesmo tão completa e profundamente quanto possível. E que vivêssemos cada dia de nossas vidas com consciência e compaixão, sem projetar nossas emoções nos outros, ou permitir que nossos egos distorçam a realidade. Se todo mundo fizesse o esforço necessário para se conhecer melhor, e assumisse a responsabilidade de ser a melhor versão de si mesmo, acredito que o mundo seria um lugar diferente, um lugar melhor.

Tom e eu dançando na festa do nosso casamento na Costa Rica, em 2009.

Então, por onde você pode começar? Como pode destrancar essa porta, ou, colocando de outra forma, como pode saltar para fora do poço? *Não há* um jeito melhor que outro. Há o *seu* jeito. Há milhões de maneiras diferentes de nos conhecermos melhor, e o seu método de mergulhar fundo é único para você. Lembre-se de que estamos todos aqui para aprender. Na minha experiência, nos metemos em encrenca só quando seguimos os outros em vez de seguir nossa voz interior e nosso próprio caminho — obviamente, sempre com amor e respeito pelos outros. Como sempre lembro a meus filhos, devemos tratar os outros como gostaríamos de ser tratados.

É por isso que incentivo você a viajar — na sua cabeça, no seu coração, nas suas crenças. Você poderia começar prestando atenção aos seus pensamentos, à suas palavras e ações. Ou começando a praticar a meditação. Ou se fazendo perguntas. Lendo livros. Buscando inspiração em pessoas que admira. Procurando outros que sejam sábios e sensíveis, com quem você possa aprender coisas novas. Investigando tradições e sistemas de crenças antigos. Explorando a mitologia ou o misticismo, se isso lhe atrai. Mais do que tudo, tente evitar julgar a si mesmo e aos outros — e, principalmente, achar que tem sempre razão. O mundo está repleto de pessoas que alegam que seu modo de fazer as coisas, ou seu sistema de crenças, é correto e o das outras é errado. Mas como podemos sequer saber o que é certo e o que é errado?

Todos temos liberdade de escolha. Vamos acreditar no que as outras pessoas dizem ser verdade, ou vamos escolher procurar dentro de nós mesmos para encontrar a nossa verdade?

Em outras palavras, se você estiver dentro do poço, salte para fora! Eu sei — é preciso ter coragem. Você não sabe o que há lá fora. O sapo certamente não sabia. Mas, depois que der o salto, vai estar diante de mais estrelas e mais céu do que sabia existir. Você vai aterrissar num lugar novo, e talvez até desnorteante, um lugar que expande e aprofunda sua compreensão de si mesmo, do mundo, do seu papel no mundo, e até mesmo de portais para outros mundos. Por que não explorar e atravessá-los também? O universo é infinito e nossa compreensão dele é tão pequena.

Seja lá para onde você escolha ir, desejo uma jornada segura e emocionante, e que você possa sempre estar em conexão com o amor e ser guiado por ele.

AGRADECIMENTOS

Quando eu era adolescente, escrevia sempre no meu diário, às vezes colando em suas páginas fotos de que mais gostava. No início de cada ano, começava um diário novo. Meus diários me ajudavam a recapitular meus dias e a prestar atenção ao que realmente me importava. Aos 17 anos, quando meu trabalho começou a exigir mais de mim, passei a escrever cada vez menos, até que um dia simplesmente parei. De muitas formas, escrever este livro me levou de volta àqueles dias. Se tornou uma extensão da minha prática de escrever um diário, mas numa escala bem maior. Esse processo foi incrível — principalmente porque, ao me perguntar *O que você aprendeu nos últimos 38 anos?*, fui capaz de ver minha própria vida de uma perspectiva externa e me entender melhor. Meu pai tinha razão quando me dizia que, sempre que alguém se sente confuso sobre qualquer coisa, basta colocar no papel que tudo começa a fazer sentido.

Além de trazer a oportunidade de rever minha vida de fora para dentro, escrever este livro foi assustador, mas também libertador. Assim como muitas pessoas, não me sinto confortável em expor minhas vulnerabilidades a ninguém de fora da minha família. Mas experimentei uma sensação de liberdade ao derrubar minhas próprias barreiras e permitir que a pessoa que realmente sou se revelasse. Por que ainda preciso dessas barreiras, afinal?

Um aprendizado que menciono neste livro é que a qualidade das nossas vidas depende da qualidade dos nossos relacionamentos. Nesse aspecto, fui abençoada pelas pessoas que me rodearam quando decidi escrevê-lo. Primeiro, sou muito grata ao meu colaborador, Peter Smith. Chamo Peter de "meu terapeuta", o que é quase verdade! Obrigada, Peter, por ser um bom ouvinte e interlocutor, e uma pessoa fantástica de se conversar. Obrigada a minha editora americana, Caroline Sutton. Obrigada a minha editora brasileira, Raïssa Castro, e à equipe (Candice Soldatelli, Rayana Faria, Renata Pettengill, Juliana Pitanga e Mariana Ferreira) que me auxiliou na tradução e revisão do livro com tanto carinho. Obrigada a todo o time do Grupo Editorial Record que está superdedicado a este projeto, publicado pelo selo BestSeller. Obrigada, ainda, à Agência Riff. Também sou grata a meu agente literário, Jim Levine, por sua gentileza e apoio durante esse processo, e a minha amiga Tal, que foi uma ótima conselheira. Foi muito importante, para mim, trabalhar com pessoas que eu sentia que me entendiam — e com a minha equipe, que esteve comigo a cada passo do caminho. Obrigada, Anne, por estar ao meu lado há vinte anos, sempre disposta a embarcar numa nova aventura.

É claro que sou eternamente grata a minha família, porque sem eles não seria quem sou. Obrigada a meus pais por me darem a vida, um lar seguro e amoroso para crescer com irmãs maravilhosas, por sempre confiarem em mim, me amarem e me apoiarem, e por serem professores incríveis. Obrigada a minhas irmãs por sempre me dizerem a verdade, mesmo quando não quero ouvir, e por serem as melhores amigas que alguém poderia ter, por sempre estarem ao meu lado, por me apoiarem tanto nas minhas aventuras e por me proporcionarem uma rede de apoio maravilhosa. Eu não poderia fazer o que faço sem vocês!

A meus filhos — obrigada por seu amor e por sempre me inspirarem a ser uma pessoa melhor e a querer trabalhar para tornar o mundo um lugar melhor. A meu marido, Tom — obrigada por ser um professor maravilhoso, um ótimo companheiro e um fantástico incentivador dos meus sonhos. Você me ajudou a evoluir de maneiras inimagináveis. A todos os meus amigos — obrigada pelo amor e apoio contínuos. Agradeço também a todos que cruzaram meu caminho nos últimos 38 anos, seja de que forma tenha sido, e que afetaram os rumos que minha vida tomou. Sou grata e me sinto honrada por vocês terem feito parte da minha jornada até agora. Por fim, obrigada a todos os meus lindos cãezinhos — principalmente a Vida, meu anjinho da guarda.

Este livro foi composto na tipografia Adobe Garamond Pro,
em corpo 12/16,5, e impresso em papel Polén Soft 80g/m^2
na Lis Gráfica.

A marca FSC® é a garantia de que a madeira utilizada na fabricação do papel deste livro provém de florestas que foram gerenciadas de maneira ambientalmente correta, socialmente justa e economicamente viável, além de outras fontes de origem controlada.